認知言語学逍遥<ruby>しょうよう</ruby>

安原 和也

［著］

はしがき

　本書『認知言語学逍遥（しょうよう）』は、2020 年 6 月刊行の『認知言語学の諸相』、2021 年 5 月刊行の『認知言語学の散歩道』に引き続いての、単著による第 3 小論集として企画したものである。したがって、これまでの著作と同様に、ページの順番通りに読んでもらう必要などまったくなく、読者にとって興味や関心のある論考を好きなように取捨選択しながら、その順序で読んでいくことが可能となっている。つまり、要するには、各論考は基本的に独立していると考えられるので、どの論考から読み始めてもらっても、それなりの議論を愉しむことができる構造となっている。

　目次にも示してあるように、本書に掲載された全 7 編の論考は、それぞれ、「認知言語学の基礎概念」「メタ言語レベルの漂白化プロセス」「パンタファーの認知プロセス」「クロスワード・パズルにおけるカギ解きの認知プロセス」「詩作品とプロファイリング現象」「言語知識の状態について」「なぞなぞ研究の回想録」といったように、本書のタイトル「逍遥」がまさに示すように、その内容はきわめて多岐にわたっている。しかしながら、その内容は多岐にわたっていながらも、ここで一貫して貫かれている基本理念としては、認知言語学の一般的な枠組みに基づいて、多種多様な言語現象を分析していこうとする論点であると言える。基礎的で概説的な論考もあれば、応用的で斬新な論考も、本書には含まれているが、そのすべてにおいて、認知言語学という視点が言語研究にもたらしうる意義深い様相を顕著に浮かび上がらせてくれているものと、筆者は信じている。

　最後に、本書をまとめるにあたり、様々な場面で刺激や励ましなどをもらいつつ、本書の執筆ができたことに、この場を借りて感謝申し上げたい

と思う。また、本書の刊行に向けて、多大なるご尽力を頂きました英宝社
編集部の皆様にも、心よりお礼を申し上げたい。

2022 年 1 月　名古屋にて

著　者

目　次

6．おわりに

認知言語学逍遥<ruby>しょうよう</ruby>

認知言語学の基礎概念

1．はじめに

　認知言語学（cognitive linguistics: cf. Lakoff & Johnson 1980; Lakoff 1987; Talmy 2000; Langacker 2008; Evans & Green 2006; 山梨 1995, 2000, 2004; 安原 2017, 2020; etc.）と称される研究領域では、言語現象の背景に存在しているものと考えられる認知プロセス（cognitive process）の諸相を探求していくことによって、言語という研究対象の本質に迫っていこうとする学問分野のことであると言ってよい。しかしながら、ここで注意しなければならないのは、ここで言うところの認知プロセスの意味合いである。認知言語学以外の伝統的な言語学分野においても、認知プロセスというものが基本的に議論されているわけであるが、認知言語学が言うところの認知プロセスとは、要するには一般認知能力（general cognitive abilities）という意味合いで用いられている。つまり、伝統的な言語学分野においては、言語領域のためだけに機能すると想定されうる認知プロセスのみの観点から、言語現象の本質を探求していこうとしているのに対して、認知言語学の研究領域では、そうではなく、人間の認知全般に関わる認知プロセスの観点から、言語現象の本質を解明しようとしている点に、その大きな違いが認められるのである。したがって、認知言語学の研究分野において、認知プロセスと表現する場合は、言語のためだけの認知プロセスということではなく、人間認知全般で機能しうると考えられる認知プロセスのことを意味している点に、ここでは特に注意する必要がある。

　以下では、認知言語学の一般的な枠組みの中で提案されてきた、このような種の認知プロセスの一端について、簡単に紹介してみたいと考えている。したがって、以下に示す認知プロセスが、認知言語学の基礎概念とな

るすべての認知プロセスを網羅的に提示しているというわけではなく、ただ単にそのほんの一部を、以下では紹介している点にも、ここでは特に注意する必要がある。

2. ベースとプロファイルの概念化

　ベースとプロファイルの概念化とは、ある特定の概念基盤を前提とした上で、その一部分の要素に焦点ないしはフォーカスを当てていく認知プロセスのことを、一般に意味している（cf. Langacker 1987, 1990, 2008, 2013, etc.）。その際、ある特定の概念基盤として認識されるものはベース（base）と呼ばれ、それに対して、そのベースの中に存在するものの一部で、焦点が当てられていく対象のことはプロファイル（profile）と、一般に呼ばれている。

　例えば、下記の事例を用いて、この点を確認してみることにしよう。

（1）「矢萩堂」の人達の中で、唯一、良介さんの存在が私の救いで、良
　　　介さんは私の宙ぶらりんな気持ちを理解し、共感してくれると思っ
　　　ている。

（ねじめ正一「むーさんの背中（181）「薄氷（十六）」山陽新聞
2016 年 7 月 10 日 p. 24［下線は筆者による］）

ここで冒頭に登場してきている「矢萩堂」というのは、この小説内の一場面を構成する和菓子屋さんのことであるのだが、その文脈の中で、下線でも示した「「矢萩堂」の人達の中で、唯一、良介さんの存在が私の救いで」と書かれている部分に、ここで言うところのベースとプロファイルの概念化が関与してきている。つまり、この場合には、「「矢萩堂」の人達」全員がここでのベースとなって機能しており、その中にいる一人の人物である「良介さん」にここでのプロファイルが当てられているのである。

　この点をあえて図式化して示すとすれば、それは下記の（2）のようになる。

（２）ベース：　［…○○○…］　→　プロファイル：［…○○●…］

　まずは、ベースの方を説明すると、図式上に存在している「○」が「「矢萩堂」の人達」１人１人のことであると、ここでは仮定してみよう。そして、３つの○の左右にある「…」は他の人もまだ存在している可能性があることを示しているものと考えてほしい。そうすると、このベースを前提として、「良介さん」をここではプロファイルすればよいので、プロファイルの図式上に示された「●」が、ここでは「良介さん」として認識されることになる。つまり、「「矢萩堂」の人達」の中から「良介さん」が選択（ないしはプロファイル）されるという構図が、（１）の下線部には見え隠れしているのである。

3．前景化と背景化

　前景化と背景化という認識の構図は、ベースとプロファイルの概念化とよく似たところのある認知プロセスであると言えるが、ここでは、とりあえず別項目として、取り扱ってみたいと思う。そもそも、プロファイルという考え方は、先にも述べたように、何らかの対象を焦点化していくことであるわけであるが、しかしながら、実のところをよく考えてみると、焦点化と言っても、それには程度があるのではないかというのが、まさにここで言うところの前景化と背景化である。つまり、プロファイルが与えられる要素が複数あった場合に、その中で最も強くプロファイルされる要素を絞り込んでいく認知プロセスが前景化であり、それに対して、その二番手に強くプロファイルされる要素を絞り込んでいく認知プロセスが背景化であると言える（cf. Talmy 2000, etc.）。

　例えば、下記の（３）の事例を、ここで検討してみることにしよう。

（３）どんな姿で育つのか。産地のひとつ長野県伊那市を訪ねた。草丈
　　　２メートル、オレンジ色の穂が南アルプスを背に輝く。

（「（天声人語）アマランサスの里」朝日新聞 2016 年 9 月 5 日
［下線は筆者による］）

この事例では、下線を施した部分に注目してほしい。すなわち、「オレンジ色の穂が南アルプスを背に輝く」と表現されているところに、ここで言うところの前景化と背景化の認知プロセスが関与してきているものと考えられる。この場合には、プロファイルそのものは、「オレンジ色の穂」と「南アルプス」の両方に与えられているものと想定されうるが、しかしながら、両者の間ではプロファイルの程度という点では、少なからず、大きな差異があると言わなければならない。つまり、この場合には、「南アルプス」よりも「オレンジ色の穂」の方がより際立った形で、その言語化が成されているわけである。というのも、「南アルプスを背に」という表現がここで利用されている点を理解すれば、その点はすぐに明確なものとなってくるであろう。したがって、この事例では、「オレンジ色の穂」の方が前景化の対象となっているのに対して、「南アルプス」の方は背景化の対象になっているものとして、一般にその認識が形成されている。

4．図地反転

　一般に、前景化の対象となっているものは図（Figure）と呼ばれ、これに対して、背景化の対象となっているものは地（Ground）と呼ばれている。したがって、このような定義を与えれば、図地反転（Figure-Ground reversal）の認知プロセスは、読んで字のごとく、図と地が反転してしまう現象として、ここでは理解していくことができるようになる（cf. Talmy 2000, etc.）。

　例えば、下記の（4）の事例について、ここで考えてみることにしよう。

（4）G7サミットと呼ばれる主要7カ国首脳会議が今日開幕する。<u>一時は新興国も含めたG20に押されて影が薄かったが、最近見直されている</u>。民主主義や人権、自由な経済といった価値を共有しており、話し合いを持つ意味が大きいと言われる▼

（「（天声人語）きょうから伊勢志摩サミット」朝日新聞
2016 年 5 月 26 日［下線は筆者による］）

ここでも、下線で示した部分に注目してほしい。まず、ここでの基本的な構図（すなわちベース）となるのは、Ｇ７とＧ２０の関係性ということである。したがって、これを図式的に表現するとなると、それは（５）のような感じとなってくる。

（５）　Ｇ７　―　Ｇ２０

　したがって、このような基本図式を念頭に置いて、下線部を読み直してみると、一時期の状態としては、Ｇ７は「Ｇ２０に押されて影が薄かった」と書かれているわけであるので、この場合には、Ｇ２０の方が図として、これに対して、Ｇ７の方が地として認識されるという状況が、ここでは形成されていることになる（（６ａ）参照）。しかしながら、その文の後半部に進んでいくと、Ｇ７とＧ２０の関係性が「最近見直されている」と記述があるので、この段階に至っては、今度はその図地が反転して、Ｇ７の方が図として、これに対して、Ｇ２０の方が地として認識されるという状況に変化してきていることが示されている（（６ｂ）参照）。

（６）ａ．　Ｇ７　―　**G20**
　　　ｂ．　**G7**　―　Ｇ２０

　したがって、上記に示した（６ａ）の認識と（６ｂ）の認識をよくよく観察すれば分かってくるように、（６ａ）と（６ｂ）の認識の間では、ここで言うところの図地反転が生じてきているものとして、ここでは理解していくことが可能となっているのである。

5．プロファイル・シフティング

　プロファイル・シフティング（profile shiting）とは、プロファイルが与えられている箇所が切り替わっていく認知プロセスのことを、一般に意味している（cf. Langacker 2008, etc.）。前節で述べた図地反転の認知プロセスも、プロファイルの切り替えという意味では、広義には、プロファイル・

シフティングの一部に取り込むことのできるものであるかもしれないが、ここでは一応、図地反転とプロファイル・シフティングは別の認知プロセスとして、その議論を進めておきたいと思う。

　プロファイル・シフティングの具体的な例としては、下記の（７）を挙げることが可能である。

（７）国民的な唱歌「故郷（ふるさと）」は、歌詞の１番、２番で古里の自然豊かな情景や人々を懐かしみ、３番では「志を果たして、いつの日にか帰らん」と歌う。都会に出て功成り名を遂げて、古里に凱旋（がいせん）するイメージだろう▼島根県の隠岐諸島にある海士（あま）町では数年前から、歌詞を「志を果たしに、いつの日にか帰らん」と替えて歌われている。これなら、活躍する場所は都会から古里に変わる。つまりＵターンを目指す意味になる▼

（「滴一滴」山陽新聞（朝刊）2016 年７月９日［下線は筆者による］）

「国民的な唱歌「故郷（ふるさと）」」は、日本で生まれ育った人であれば、誰でも口ずさむことができる歌の代表格の１つとでも言うことができるものである。元々の歌詞においては、１番目の下線部で示したように、３番が「志を果たして、いつの日にか帰らん」と歌うことになるので、都会での成功を果たして、故郷に凱旋するといったイメージが顕著に際立ってくるものとして、ここでは解釈していくことができる。しかし、島根県の海士（あま）町では、「Ｕターン」の促進を目的として、その３番の歌詞を、２番目の下線部で示したように、「志を果たしに、いつの日にか帰らん」というように、切り替えて歌っているということである。つまり、このような替え歌を行うことで、都会で成功するというよりは、むしろ故郷にＵターンしてから成功してほしいという要望や期待を、この歌詞によって表現しているものと考えられる。したがって、このような歌詞に切り替えることによって、３番目の下線部で示したように、最終的に「活躍する場所は都会から古里に」完全に切り替わってくるという着想に、ここでは１つの面白みも醸し出されている。

　したがって、このような概念的な構図の背景では、（8）に示すような
プロファイル・シフティングの認知プロセスが、ここでは関与してきてい
るものと、一般に想定されうる。

（8）a．　都会 ― 古里
　　　b．　**都会** ― 古里
　　　c．　都会 ― **古里**

つまり、（8a）のベースを前提とした上で、通常の歌詞においては、（8
b）の認識が得られるように、元々はその歌詞が書かれているのに対して、
3番の歌詞に登場してくる「志を果たして」を「志を果たしに」に切り替
えてしまうことで、今度は（8c）の認識が得られてくるようになるとい
うのが、ここでのプロファイル・シフティングの全貌であると言うことが
できる。

6．スキャニング

　スキャニング（scanning）と称される認知プロセスは、特定の対象に対
して、概念主体がその視線をその対象の上に走らせていく認知プロセスと
して、一般に広く知られている（cf. Langacker 1987, 1990, 2008, 2013, etc.）。
前節で提示したプロファイル・シフティングの場合には、基本的にプロファ
イルの切り替えが起こるわけなので、そこにはプロファイルの切り替
えのみが行われ、その軌跡は原則として残されないものと考えられる。し
かしながら、スキャニングの場合には、特定の対象の上に、概念主体の視
線を走らせていくわけであるので、その軌跡それ自体は、プロファイルさ
れた状態で、基本的に残されることになると、一般には考えることができ
そうである。したがって、まさに、このような側面に、プロファイル・シ
フティングとスキャニングの相違点というものが、明確に現れてきている
ものと考えられる。
　それでは、スキャニングの具体事例を確認しておきたいと思うが、ここ
では、下記の（9）の事例を検討してみることにしよう。

（9）尾根や谷を潤す雨や雪解け水は、<u>一部が千曲川から信濃川となって日本海へ注ぐ</u>。▼<u>別の滴（したた）りは笛吹川から富士川を経て駿河湾へ入る</u>。<u>ある水玉は荒川の源頭から首都を抜けて太平洋へ至るだろう</u>。

（「春秋」日本経済新聞 2016 年 6 月 15 日［下線は筆者による］）

　ここでは、下線で示した部分に、まさにスキャニングの認知プロセスが機能していると理解することができる。なお、この場合の記述を理解していく前提としては、日本地図を頭の中にイメージしておくと、そのスキャニングも、より明確なものになってくるように思われる。

　まず、1 つ目の下線部では、「雨や雪解け水」の一部が、「千曲川」を経由して「信濃川」へと出ていき、さらにはその次の段階では「信濃川」から「日本海」へと注がれていくというわけであるので、（10 a）のようなスキャニングの認知プロセスが、この背景では認識できてくるようになる。次に、2 つ目の下線部では、別のルートが提示され、この場合には、笛吹川を経由して富士川へと進み、さらには富士川から駿河湾へと注がれていくイメージが、頭の中に喚起されてくる。したがって、この場合には、（10 b）のようなスキャニングの認知プロセスが、ここでは機能してきていると言うことができる。そして最後の 3 つ目の下線部では、さらに別のルートが提示され、「荒川の源頭から首都を抜けて太平洋へ」と注がれていくことが、そのイメージとして描かれている。したがって、この場合には、（10 c）に示すようなスキャニングの認知プロセスが、ここでは関与しているものと考えられる。

（10）a．千曲川　→　信濃川　→　日本海

　　　 b．笛吹川　→　富士川　→　駿河湾

　　　 c．荒川の源頭　→　首都　→　太平洋

7．フレーム

　フレーム（frame）とは、私たちが普段の日常生活を送っていく中で、

おのずと頭の中に蓄積されてくる一般知識のことを、一般に意味している（cf. Fillmore 1982, 1985）。したがって、フレームという術語それ自体は認知プロセスとしては理解されることがなく、むしろ頭の中に形成されている一般的な知識構造のことであると言わなければならない。これに対して、言語理解という目的のために、その人が持っているフレームを頭の中に喚起させることは、まさに認知プロセスと呼べるものであり、このような現象は、一般にフレームの喚起（evocation）と呼ばれている。

　私たちが現実の世界において言語理解を行っていく上では、フレームの喚起が必須の条件となり、それなくしては、正確な言語理解など、何もできないと言ってもよいほどである。したがって、私たちのコミュニケーションが円滑に成り立っていくのにも、フレームの喚起が適切に行われているからこそであり、その意味では、言語理解におけるフレームの役割というものには、非常に大きな意味があると言わなければならない。なお、第2節で、ベースとプロファイルの概念化について取り上げたわけであるが、そこで言うところのベースは、より厳密な定義を与えていくと、ここで言うところのフレームであるとも、一般に理解することが可能である。

　例えば、フレーム知識について理解していくために、ここでは、下記の事例について、検討してみることにしよう。

(11)　きのう、ラジオ番組で3人の子を持つ親の声が紹介されていた。4年後、上の娘と2歳下の双子の男の子が同時に成人になると知ってびっくりした、という内容である▼成人年齢を18歳に引き下げる改正民法が成立した。施行1年目の2022年は、18、19、20歳が一斉に大人の仲間入りをすることになる。投稿者と似たような状況の家庭もあろう。仮に女の子ばかりだと、振り袖の手当てだけでも大変に違いない、と想像させられた▼

（「滴一滴」山陽新聞 2018 年 6 月 15 日［下線は筆者による］）

ここでは、フレームの知識構造が変更されるという認知プロセスが生じており、それによって、いろいろと家庭レベルでの嘆きが生じているという

記事内容が紹介されている。これまでの民法においては、20 歳からが成人であると規定されていたのに、改正民法では、それを引き下げて、18 歳からが成人であると規定し直されたところに、まさにフレーム知識の変更が認められている。つまり、「成人」のフレームを頭の中に喚起した場合、これまでは「20 歳からが成人である」という知識が引き出されてきていたのに対して、改正民法の施行後からは、「18 歳からが成人である」という知識が引き出されなくてはならなくなってしまったのである。したがって、このような形で、時代の変化とともに、そのフレーム知識の内容も変更されてしまう場合があり、そういった意味では、フレーム知識と言えども、一定のものではないということが、ここでは分かってくるものと思われる。つまり、新しい経験をどんどんと積み上げていけば、フレーム知識もどんどんと豊かになっていく可能性もあり、それによって、言語理解がよりスムーズになるということも、当然のことながら、生じうるということである。さらには、このようなフレーム知識の変更に基づいて、その理解を深めていけば、(11) の後半部に書かれているように、「施行 1 年目の２０２２年は、１８、１９、２０歳が一斉に大人の仲間入りをすることになる」という予測も、フレーム知識からの推論によって、容易に行うこともできるようになるのである。言語理解にとって、フレーム知識がいかに大切なものであるのかという点を、以上の事柄は、顕著に物語っているものと考えられる。

8. スキーマ化

　スキーマ化（schematization）とは、複数の具体事例の中に観察される共通項を取り出していく認知プロセスとして、一般に理解されている（cf. Langacker 1988, 2000, 2008, etc.）。その際、各々の具体事例のことはインスタンス（instance）、これに対して、各々の具体事例から抽出された共通項のことはスキーマ（schema）と呼ばれ、この基本図式それ自体がカテゴリー（category）を構造化していく基本原理であると、認知言語学の研究領域の中では、一般に捉えられている。したがって、スキーマ化と称される認知プロセスは、カテゴリー化（categorization）の一側面を捉えたものとして、

ここでは理解しても差し支えないものと考えられる。

例えば、下記の（12）の事例について、ここで検討を加えてみることにしよう。

(12) 作曲家ショパン、劇作家チェーホフ、儒学者の頼山陽、政治家小村寿太郎は同じ病魔に人生を絶たれた。結核である。

（「（天声人語）結核菌と人類の攻防」朝日新聞 2018 年 9 月 24 日）

ここに書かれているのは、作曲家のショパン、劇作家のチェーホフ、儒学者の頼山陽、政治家の小村寿太郎という 4 人の間に観察される共通項としての病魔を特定しようということである。そして、その発想の結果としての答えとしては、ここでは「結核」が挙げられる形となっている。したがって、このような言語理解の下では、スキーマ化の認知プロセスが、その背景で機能しているものと考えられる。つまり、作曲家のショパン、劇作家のチェーホフ、儒学者の頼山陽、政治家の小村寿太郎という 4 人のフレームが、まずは頭の中に喚起されて、その上で、その人たちが亡くなった原因を特定していくと、「結核」という答えが見つけ出されたということである。したがって、この場合には、作曲家のショパン、劇作家のチェーホフ、儒学者の頼山陽、政治家の小村寿太郎という 4 人のフレームがインスタンスとして認識された上で、「結核」という病魔の共通項を、ここではスキーマとして理解しているのである。

このように、複数の具体事例であるインスタンスを前提とした上で、それらの中に観察される共通項としてのスキーマを抽出することが、まさにスキーマ化の認知プロセスであると言うことができる。その意味では、カテゴリー化のみならず、言語理解の一側面においても、スキーマ化はきわめて重要な役割を果たしていることが、（12）の例からも、明確に理解できてくるように思われる。

9. メタファー

メタファー（metaphor）とは、最も単純に言えば、何かを何かで喩えて

いく認知プロセスのこととして、認知言語学の研究領域の中では、一般に広く知られている（cf. Lakoff & Johnson 1980, 1999; Lakoff 187; Kövecses 2002, 2005; 山梨 1988, 2007; etc.）。このようなメタファーの認知プロセスが機能してくる場合には、ソース（source）とターゲット（target）と呼ばれる概念領域が基本的に設定され、ソースは喩えていく側の概念のことを、ターゲットは喩えられていく概念のことを、一般に意味することとなる。したがって、メタファーの認知プロセスを簡略的に図式化するとすれば、それは下記の（13）のように整理することができる。

(13) ソース　→　ターゲット

　ここでは、メタファーの具体事例を観察する目的で、下記の（14）の事例について、検討してみることにしよう。

(14) 米国と北朝鮮によるにらみ合いが続いている。米太平洋艦隊の原子力空母「カール・ビンソン」は、まもなく朝鮮半島周辺に到着する。シリアへの空爆に続いて、アフガニスタンでは大規模爆風爆弾を投下した。核・ミサイル開発に突き進む北朝鮮への明確なメッセージに他ならない。▼これに対して北朝鮮は強硬姿勢を崩していない。昨日は弾道ミサイルを発射した。平壌で先週末に行われた軍事パレードでは、米本土を狙うＣＢＭとみられる新型ミサイルを公開したばかりである。▼一触即発の事態を招いた責任の多くは、中国が負わなければならない。石油や食糧など北朝鮮の生命線を握っていながら、金正恩（キム・ジョンウン）朝鮮労働党委員長の暴走を見逃してきた。ここにいたっても、<u>行司として相撲を止めようと飛び出してくる気配はみられない。</u>

　　　　（「（産経抄）北朝鮮の暴走　責任の多くは中国が負わねばならない」
　　　　産経新聞 2017 年 4 月 17 日 ［下線は筆者による]）

この場合、下線部以外の事柄については、現実的な状況がただ単に記述さ

れているだけである。しかしながら、下線部においては、「行司」とか「相撲」とかといった概念が出てきて、この言語解釈は、スムーズであるとは言い切れなくなってしまう。というのも、まさに、ここにメタファーの認知プロセスが関与していると言えるからである。ここでは、非常に大きな枠で捉えれば、（15）に示したように、「米国と北朝鮮によるにらみ合い」の状況を「相撲」の観点から理解しようとしていることを読み取っていくことができる。

    （15）［ソース］相撲　→　［ターゲット］米国と北朝鮮によるにらみ合い

したがって、この場合には、「相撲」の概念領域がソースで、「米国と北朝鮮によるにらみ合い」の概念領域がターゲットとして機能しているものと考えられる。
　しかしながら、もっと細かくこの状況を把握していくならば、（16）のようなメタファー構造が、その背景に隠されているとも、一般に理解されてくるところである。

    （16）［ソース］相撲　→　［ターゲット］米国と北朝鮮によるにらみ合い
             力士　→　　　　　　　　米国と北朝鮮
             行司　→　　　　　　　　中国

つまり、（14）の文脈下においては、「米国」と「北朝鮮」が取り組みを行っている力士として理解されていて、「中国」はその取り組みを裁く役割を担う行司として、ここでは認識されているのである。外交上の問題を、まさに日本特有の概念である「相撲」の観点から理解していこうとする発想（ないしはメタファー構造）は、日本独特のものであり、ここに1つの面白みが醸し出されているようにも思われる。その意味では、（14）の文脈下で用いられたメタファーの認知プロセスは、きわめて特殊な事例であると言うことができるかもしれない。

10. メトニミー

　メトニミー（metonymy）とは、近接性に基づいて確立されてくる概念関係のことを、一般に意味している（cf. Lakoff & Johnson 1980, 1999; Lakoff 187; Littlemore2015; 山梨 1988, 2007; etc.）。このように定義すると、きわめて難しい概念のように思われるかもしれないが、その内実は意外と分かりやすく、例えば、「鍋を食べる」といった場合、実のところ、「鍋」そのものを食べるわけではなく、「鍋」の中に行っている具材を食べることを意味するようになるのが、メトニミーと呼ばれる認知プロセスである。つまり、「鍋」という概念でもって、それと近しい関係にある「鍋の中身」を指示していくという認知プロセスが、まさにメトニミーであると言える。したがって、先ほど提示した近接性という、やや難解なことば遣いは、要するには、近しい関係にある概念関係のことであると、ここでは再解釈した方がより分かりやすいかもしれない。

　「鍋」の例は、比較的よく知られた例であるので、そうではない実例としてのメトニミーを、以下に挙げておきたい。

（17）　その函館へ、待望の<u>新幹線</u>が延びる。
　　　　　　　　　　（「（天声人語）津軽海峡の新幹線」朝日新聞 2016 年 3 月 26 日
　　　　　　　　　　　　　　　　　　　　　　　　　　　　　　［下線は筆者による］）

この文を、そのまま直接的に解釈すると、「新幹線」という乗り物それ自体が、まるでゴムのように延びるような感じが出てきてしまうが、（17）の文解釈としては、残念ながら、この解釈は間違っていると言わなければならない。ここで「延びる」対象として認識されているのは、言うまでもなく、「新幹線」という乗り物それ自体のことではなく、「新幹線」の線路が延伸されるというのが、ここでの正しい解釈となってくる。したがって、この場合にも、メトニミーの認知プロセスが関与してきていて、つまり、「新幹線」という物体から、それと近しい関係にある「線路」にアクセスすることによって、ここでの意味合いが確立されてきていると言える。このようなメトニミーの認知プロセスは、図式的に示すとすれば、それは（18）

のように、一般には表現されることとなる。ただし、この場合の矢印（→）は、近接性という関係で結ばれているということがここでの必須条件となってくることを、ここではきちんと押さえておきたいところである。

    (18)　新幹線　→　（新幹線の）線路

11.　シネクドキー

　シネクドキー（synecdoche）とは、最も単純な定義を与えれば、カテゴリー関係に基づいて確立されてくる概念関係のことを、一般には意味している（cf. 瀬戸 2002; 野内 2007; etc.）。カテゴリー関係も、ある意味では、先ほどの近接性の一部であると考えることもできるので、シネクドキーとメトニミーを区分しない考え方も、実のところ、存在していると言えるが、筆者はそれらを明確に区分すべきであるという立場を採用しているので、本論では別項目として設定した次第である。

　カテゴリー関係というのは、分かりやすく言えば、上位語と下位語の関係のことであり、例えば、「乗り物」と「自転車」という２つの概念があった場合には、「乗り物」の方が上位語として、そして「自転車」の方が下位語として理解されてくるはずである。したがって、まさにこのような関係にある概念構造のことを、ここではカテゴリー関係と呼んでいるのである。

    (19)［上位語］乗り物　―　［下位語］自転車

　したがって、シネクドキーの実例としては、例えば、下記の（20）のようなものを指摘することができる。

    (20)「お花見　行こうか？」
（阿川佐和子「ことことこーこ（167）「第七章　二人の生活（四）」
山陽新聞 2017 年 3 月 5 日 p. 24［下線は筆者による］）

この場合には、下線で示したように、「お花見」の部分に、シネクドキー
の認知プロセスが関与してきているものと推定されうる。一般に、「お花見」
といった場合には、どんな種類の花を見るのかと想像すれば、現代の日本
人の場合には、それは「桜」であることが、おのずと頭の中に浮かんでく
るはずである。そうなると、(21) に示すように、「花」と「桜」の間には、
先に言うところのカテゴリー関係を設定することができることになり、つ
まりは、シネクドキーの認知プロセスが成立してくることになるのである。

(21)［上位語］花　→　［下位語］桜

12. おわりに

　本論では、認知言語学の一般的な枠組みの中で提案されてきた全 10 種
類の認知プロセスについて取り上げ、各々の認知プロセスがいかなるもの
であるのかを、具体事例を踏まえつつ、簡単に解説してきたと言える。し
かしながら、ここで注意を要するのは、少なくとも、ここで提示した認知
プロセスは、そのすべてが言語領域のみに関わる認知プロセスとして提案
されているというわけではなく、むしろ認知全般に関わる認知プロセスと
して提案されているという事実である。したがって、ここで提示した認知
プロセスは、普段はなかなか意識的になることができず、実際にその活用
を認識することはかなり少ないかもしれないが、言語領域以外の部分でも、
当然のこととして、日常生活の中で幅広く活用されているものと考えられ
る。

　ただし、ここで提示した全 10 種類の認知プロセスだけが、認知言語学
という学問領域においてその活用が認可された認知プロセスということで
はなく、この他にも、実際のところ、様々な認知プロセスが、認知言語学
の一般的な枠組みの中では、提案されてきている。したがって、ここで
取り上げた以外の認知プロセスについても確認してみたいという読者の方
は、日本語や英語で読むことのできる認知言語学の入門書は、目下のとこ
ろ、多数出版されてきているので、それらの文献を参照してみてもらいた
いと考えている。

参考文献

Evans, Vyvyan, and Melanie Green. (2006) *Cognitive Linguistics: An Introduction.* Edinburgh: Edinburgh University Press.

Fillmore, Charles J. (1982) "Frame Semantics." In: The Linguistic Society of Korea (ed.), *Linguistics in the Morning Calm*, pp. 111-137. Seoul: Hanshin Publishing Co.

Fillmore, Charles J. (1985) "Frames and the Semantics of Understanding." *Quaderni di Semantica* 6(2): 222-254.

Kövecses, Zoltán. (2002) *Metaphor: A Practical Introduction.* Oxford: Oxford University Press.

Kövecses, Zoltán. (2005) *Metaphor in Culture: Universality and Variation.* Cambridge: Cambridge University Press.

Lakoff, George. (1987) *Women, Fire, and Dangerous Things: What Categories Reveal about the Mind.* Chicago: The University of Chicago Press.

Lakoff, George, and Mark Johnson. (1980) *Metaphors We Live By.* Chicago: The University of Chicago Press.

Lakoff, George, and Mark Johnson. (1999) *Philosophy in the Flesh: The Embodied Mind and its Challenge to Western Thought.* New York: Basic Books.

Langacker, Ronald W. (1987) *Foundations of Cognitive Grammar, Vol.1: Theoretical Prerequisites.* Stanford: Stanford University Press.

Langacker, Ronald W. (1988) "A Usage-Based Model." In: Brygida Rudzka-Ostyn (ed.), *Topics in Cognitive Linguistics*, pp. 127-161. Amsterdam: John Benjamins.

Langacker, Ronald W. (1990) *Concept, Image, and Symbol: The Cognitive Basis of Grammar.* Berlin/New York: Mouton de Gruyter.

Langacker, Ronald W. (2000) "A Dynamic Usage-Based Model." In: Michael Barlow and Suzanne Kemmer (eds.), *Usage-Based Models of Language*, pp. 1-63. Stanford: CSLI Publications.

Langacker, Ronald W. (2008) *Cognitive Grammar: A Basic Introduction.* Oxford: Oxford University Press.

Langacker, Ronald W. (2013) *Essentials of Cognitive Grammar.* Oxford: Oxford University Press.

Littlemore, Jeannette. (2015) *Metonymy: Hidden Shortcuts in Language, Thought and Communication.* Cambridge: Cambridge University Press.

野内良三 (2007)『レトリックのすすめ』東京：大修館書店.

瀬戸賢一 (2002)『日本語のレトリック ― 文章表現の技法 ―』東京：岩波書店.

Talmy, Leonard. (2000) *Toward a Cognitive Semantics, Volume 1: Concept Structuring*

Systems. Cambridge, MA: MIT Press.

山梨正明 (1988)『比喩と理解』東京：東京大学出版会 .

山梨正明 (1995)『認知文法論』東京：ひつじ書房 .

山梨正明 (2000)『認知言語学原理』東京：くろしお出版 .

山梨正明 (2004)『ことばの認知空間』東京：開拓社 .

山梨正明 (2007)『比喩と理解（新装版）』東京：東京大学出版会 .

安原和也 (2017)『ことばの認知プロセス ― 教養としての認知言語学入門 ―』東京：三修社 .

安原和也 (2020)『認知言語学の諸相』東京：英宝社 .

メタ言語レベルの漂白化プロセス

1. はじめに

　本稿では、漂白化（bleaching）の認知プロセスについて、その具体事例をいくつか提示しながら、言語現象に観察されるその認知プロセスの一端を紹介してみたいと考えている。一般に、認知言語学の研究領域においては、Sweetser（1988）などで指摘されるように、意味内容レベルにおいて、その意味合いが徐々に希薄化していくことによって、最終的にその意味合いが完全になくなってしまうことを、漂白化として理解しているものと考えられる。しかしながら、漂白化の認知プロセスは、必ずしも意味内容レベルのみに適用されるべき認知プロセスであるとは言うことができない。つまり、漂白化の認知プロセスは、メタ言語レベルにおいても、十二分に適用されうる可能性が残されていると言えるのである。したがって、本稿では、特にメタ言語レベルに適用される漂白化の認知プロセスについて検討を加えることによって、この認知プロセスの適用範囲をメタ言語レベルにまで広げてみたいと考えている。

2. 濁点の漂白化

　まずは、下記の（1）のお話を読んでみてもらいたい。

（1）　これは日本のはなし。
　　　公衆電話ボックスが、いたずらで荒れて、NTT が困っていたころのこと。電話機などを傷つけないようにというので、ボックスのガラスにステッカーをはった。
　　　かわいい女の子が、マンガ調で吹き出しから、

　　　「キズはいやいや」
　　　と言っている。それを、だれか知らないが、
　　　「キスはいやいや」
　　　に化けさせた。
　　　　　　　　　（外山滋比古『ユーモアのレッスン』中央公論新社 2003 年 pp. 68-69)

このお話では、公衆電話ボックスに「キズはいやいや」というステッカーをはったら、誰かが「キズ」についている濁点「゛」を消して、「キスはいやいや」という文字列にしてしまったという、ある種のユーモア話である。このような形で、濁点が消されるとなると、まさにここには、漂白化の認知プロセスが適用されてきているものと理解していくことができる。つまり、「キズ」という語彙から、濁点である「゛」を漂白化して（つまり削り取って）いけば、おのずと「キス」という語彙が創発されてくるからである（（２）参照）。

　　（２）　キズ　→　キス

したがって、この場合には、「ズ」に付けられていた濁点が漂白化されたわけであるので、文字のパーツが漂白化されたものとして、ここでは理解していくことができる。
　同様の例は、次のお話にも、見え隠れしていると言える。

　　（３）「ふぐ」の本場である下関では、「ふく」と発音する人が多い。「ふく」
　　　　　は「福」と解釈できて縁起が良いが、「ふぐ」だと「不遇」の意味
　　　　　にも取られかねない。

この事例では、縁起担ぎということで、本場の下関では、魚の「ふぐ」のことを、あえて「ふく」と呼んでいるということである。したがって、この場合にも、「ぐ」に付いている濁点が漂白化されることにより、「く」という文字に変換されている様子を明確に観察することができる（（４）参

照）。

（4）　ふぐ　→　ふく

つまり、この場合にも、先ほどの事例と同じように、濁点そのものが漂白化されているので、ここでも、文字パーツの漂白化が行われているものとして、一般に理解していくことができる。

3.　漂白化と「なぞなぞ」

　このような漂白化の認知プロセスは、ことば遊びの一種である「なぞなぞ」現象においても、部分的に活用される場合がある。例えば、下記の（5）の事例について、ここで考察してみてもらいたい。

（5）a．目の中から、ぼうを一本とったら、明るくなった。なぜかな。
　　　　　［答え］「日」の字になるから。
　　　　　　　　（めぐろさぶろう『チャレンジ！なぞなぞ2000』小学館 1985 年 p. 186）
　　　b．百匹のネコのうち、一匹がいなくなったら、残りのネコは、
　　　　　何色かな。
　　　　　［答え］白［百から一をとるから。］
　　　　　　　　（めぐろさぶろう『チャレンジ！なぞなぞ2000』小学館 1985 年 p. 106）

　まず、（5a）の「なぞなぞ」では、「目の中から、ぼうを一本とったら、明るくなった」という、その理由が問われている。しかしながら、現実レベルでこの問いを検討していっても、その答えには到底たどることができないものと考えられる。そこで、「なぞなぞ」特有の論理ということで、メタ言語レベルにその思考を切り替えていくわけである。そうすると、「目」という漢字から、「一」という漢字パーツを漂白化すると、その字は結果として、「日」という漢字となってくるので（（6）参照）、ここでの謎めいた問いは、その論理が通るようになってくるのである。

（6）　目　→　日

　まさに、同様の論理で、（5ｂ）の「なぞなぞ」についても、一般に解決していくことができる。まず、現実レベルでこの問いを考えていくと、「百匹のネコのうち、一匹がいなくなったら、残りのネコは、何色かな」ということで、まったく何を言っているのか、わけが分からなくなってしまう。しかしながら、そこから脱出して、メタ言語レベルの世界へとその視線を向けていくと、その論理はきわめて簡単に見つけ出すことができるようになる。すなわち、「百」という漢字から、その漢字の上側に位置している「一」という漢字パーツを漂白化すると、「白」という漢字だけが残されることになるので（（7）参照）、ここでの答えは「白色」ということになるわけである。

（7）　百　→　白

　このように、漢字パーツの漂白化という認知プロセスは、「なぞなぞ」の論理を構造化していく上でも、部分的に活用されることがあるという点が、以上の議論から、理解できるものと思われる。

4．略語形成と漂白化

　ここまでは、漢字パーツが漂白化される具体事例について検討を加えてきたが、文字そのものが漂白化されてしまうという言語現象も、実のところ、存在している。そのまさに代表例とも言うべきものが、タイトルにも示されているように、略語形成の認知プロセスであると言ってよい。

　まず、日本語の略語について、その具体事例をいくつか提示してみると、それは下記の（8）のようなものが、それに該当していると考えられる。

（8）ａ．コラボレーション　→　コラボ
　　　ｂ．ファンデーション　→　ファンデ
　　　ｃ．インターネット　→　ネット

　　　　ｄ．アル<u>バイト</u>　→　バイト

　（８ａ）では、「コラボレーション」という文字列から、下線を施してい
ない「レーション」という部分が消去される形で、「コラボ」という略語
が構造化されてきているので、まさにここでは、「レーション」の部分が
漂白化されたものと理解していくことができる。同様の点は、（８ｂ）に
も当てはまり、この場合には、下線のない「ーション」の部分が漂白化さ
れることで、「ファンデ」という略語が形成されている。

　これに対して、（８ｃ）と（８ｄ）は、（８ａ）と（８ｂ）とは、少し事
情が異なるようである。つまり、（８ａ）と（８ｂ）では、文字列の後半
部分に漂白化の認知プロセスが適用されてきていたのに対して、（８ｃ）
と（８ｄ）では、その関係がちょうど逆転して、文字列の前半部分に漂白
化の認知プロセスが適用される形となっている。まず、（８ｃ）では、「イ
ンターネット」という文字列から、その前方に位置している「インター」
という要素が漂白化されることで、「ネット」という略語が構造化されて
いる。同様に、（８ｄ）でも、「アルバイト」という文字列から、その前方
に存在している「アル」という部分が漂白化されることで、「バイト」と
いう略語が仕上がってきているわけである。

　（８）に提示した略語に関しては、文字列の後半部分が漂白化されるのか、
あるいは文字列の前半部分が漂白化されるのかのいずれかであったわけで
あるが、現実の略語形成においては、そのようなパターンばかりが存在し
ているわけではない。むしろ、実際の略語形成においては、（９）に示す
ように、多種多様なパターンがあり、一定のルール設定を抽出することは
なかなか難しいところである。

　（９）ａ．<u>ポテ</u>ト<u>サラ</u>ダ　→　ポテサラ
　　　　ｂ．<u>ポテ</u>ト<u>チ</u>ップス　→　ポテチ
　　　　ｃ．<u>アメ</u>リカン<u>フ</u>ッ<u>ト</u>ボール　→　アメフト
　　　　ｄ．<u>バスケット</u>ボール　→　バスケット
　　　　ｅ．<u>バスケ</u>ットボール　→　バスケ

　まず、（９ａ）は、「ポテ」と「サラ」の部分だけが残されて、「ト」と「ダ」が漂白化されているわけであるが、（９ｂ）になると、今度は、「ポテチッ」という略語ではなく、「ッ」までもが漂白化されて、「ポテチ」という略語を形成するに至っている。次に、（９ｃ）は、特例中の特例かもしれないが、「リカン」と「ッ」と「ボール」という部分が漂白化される形で、私たちにとってなじみ深い「アメフト」という略語が構造化されている。そして、（９ｄ）と（９ｅ）については、いずれも「バスケットボール」の略語であるわけだが、その略語形成パターンには２つのものが存在していて、どちらの略語も、日常的によく用いられるものであると考えられる。つまり、（９ｄ）の方は「ボール」だけが漂白化されて、「バスケット」という略語を構造化しているのに対して、（９ｅ）の方は、さらに縮こめられて、「ットボール」全体が漂白化されて、結果として「バスケ」という略語が仕上がってきているわけである。

　また、下記の（10）は、大阪弁の略語事例であると考えられるものであるが、「おとうさん」のちょうど真ん中に位置する「うさ」を漂白化する形で、（10ａ）の「おとん」という略語が生み出されてきている。同様に、「おかあさん」についても、ちょうど真ん中に位置している「あさ」という部分を漂白化することで、（10ｂ）の「おかん」という略語が構造化されるに至っている。

　（10）　ａ．おとうさん　→　おとん
　　　　　ｂ．おかあさん　→　おかん

これらの略語形成パターンは、（８）や（９）に提示したものとも大きく異なっており、中央部分を漂白化しているという点が、きわめて特徴的であると言える。

5．英語における略語形成
　ここまでは、日本語における略語形成について簡単に見てきたが、同様の点は、英語に関しても、そのまま適用していくことが可能である。

(11) a．tele<u>phone</u>　→　phone

　　 b．air<u>plane</u>　→　plane

(12) a．<u>labor</u>atory　→　lab

　　 b．<u>photo</u>graph　→　photo

(13) a．in<u>flu</u>enza　→　flu

　　 b．de<u>tec</u>tive　→　tec

　まず、(11) では、前方要素に対して漂白化が適用された具体事例が提示されている。つまり、(11ａ) では「tele」の部分に、(11ｂ) では「air」の部分に、漂白化が適用されて、「phone」と「plane」という、それぞれの略語が生み出されてきている。これに対して、(12) では、後方要素に対して漂白化が適用される形となっている。つまり、(12ａ) では「oratory」の部分が、(12ｂ) では「graph」の部分が、漂白化の適用を受けることで、「lab」と「photo」という略語を、それぞれ構造化している。そして、(13) では、大変興味深いことに、その文字列の側面部分が漂白化の適用対象となっている。したがって、(13ａ) の場合には、前方要素の「in」と後方要素の「enza」が漂白化されて、「flu」という略語が形成されている。同様に、(13ｂ) についても、前方要素の「de」と後方要素の「tive」が漂白化の適用を受けて、最終的に「tec」という略語を生み出す結果となっている。

　この他にも、元素記号や単位の構造化においても、漂白化を適用した形での略語形成（あるいは略記形成）が成されるものと考えることが可能である。その具体事例としては、(14) や (15) を挙げることができる。

(14) a．<u>h</u>ydrogen　→　H

　　 b．<u>mag</u>nesium　→　Mg

(15) a．<u>milli</u>meter　→　mm

　　 b．<u>kilo</u>gram　→　kg

　(14ａ) では、先頭に位置している「h」の字が残されて、それ以外がすべて漂白化される形て、「H」という元素記号が仕上がってきている。同様

に、（14ｂ）では、下線を施した「ｍ」と「ｇ」を残存させて、それ以外の
すべての文字に対して漂白化の認知プロセスを適用することで、「Ｍｇ」と
いう元素記号が構築されている。なお、元素記号の先頭の文字は、通常は
大文字で書かれるので、ここでは、先頭の文字に対して、大文字化の認知
プロセスも適用されていると考えることができる。

　そして次に、（15）の単位の方であるが、この場合も、（14ｂ）と似たよ
うな認知プロセスが適用されているものと考えられる。ただし、単位の場
合は、大文字化を必要としないので、そのまま小文字のままで、その形態
が構造化されている。まず、（15ａ）では、下線を引いた２つの「ｍ」の
文字だけが残されて、あとはすべて漂白化されるという形で、ここでの記
号形成、すなわち「mm」という略記が生み出されてきている。同様に、（15ｂ）
についても、下線を施した「ｋ」と「ｇ」という文字だけが残されて、残り
の文字はすべて漂白化される形で、結果的に「kg」という単位が形成され
ている。

　このように、英語に関しても、あるいはまた日本語に関しても、略語形
成（あるいは略記形成）の背景では、漂白化の認知プロセスがきわめて重
要な働きを成してきていることが、以上の議論からも、明確に理解できて
くるように思われる。

6. 詩作品における漂白化

　文字そのものに漂白化の認知プロセスが適用されるケースとして、略語
形成（ないしは略記形成）をここまで取り上げてきたのであるが、そのよ
うなケースは、実のところ、この他の言語現象にも認められるようである。
ここでは、その代表例として、詩作品について、取り上げてみようと考え
ている。

　下記に挙げる（16）の詩作品は、子どもが書いた詩として、ある本に掲
載されていたわけであるが、その発想法に、まさに漂白化の認知プロセス
が滲み出ていると言うことが可能である。

(16)「はっけん！」（吉田駿（群馬・小1））

　　　おひめさま　めをぬいたら

　　　おひさま

　　　ありんこ　りをぬいたら

　　　あんこ

　　　にんじん　んをぬいたら

　　　にじ！

　　　わぉ！

　（編者の短評）

　　　面白い！　オレンジのオをぬいたらレンジ！

　　　　　　　（読売新聞生活部［監修］『ことばのしっぽ ―「こどもの詩」

　　　　　　　　50 周年精選集 ―』中央公論新社 2017 年 p. 211）

　この詩作品では、一定の文字列を前提とした上で、特定の文字を抜いたら、別の概念を表わす文字列ができてくることに、驚きの発見を見出している。つまり、ここで言うところの「特定の文字を抜く」という点は、まさに漂白化の認知プロセスのことを意味しているものと考えられる。まず、「おひめさま」という文字列を前提とした上で、その中の「め」という文字に漂白化の認知プロセスを適用すると、上記の詩作品に見られるように、「おひさま」という文字列が見えてくることになる（（17ａ）参照）。同様の点は、他の部分にも観察され、「ありんこ」から「り」の字を漂白化すると「あんこ」ということばが浮き出てくるようになる（（17ｂ）参照）。また、「にんじん」という文字列を前提として、そこに出てきている「ん」の字を2つ漂白化すると、「にじ」ということばが発見できることになる（（17ｃ）参照）。そして、「編者の短評」にも、これと同じことが実践されていて、つまり、「オレンジ」という文字列から、先頭の「オ」の字を漂白化すると、「レンジ」ということばが見つかるという発見が、驚きをもって、ここでは述べられている（（17ｄ）参照）。

(17)　ａ．おひめさま　→　おひさま

  b．<u>あり</u><u>んこ</u> → あんこ
  c．<u>にん</u><u>じん</u> → にじ
  d．<u>オレンジ</u> → レンジ

このように、詩作品の発想法においても、文字そのものに対して、漂白化の認知プロセスが適用される場合があるという点を、上記の（16）の事例は、顕著に物語っていると言うことができる。

7．おわりに

本稿では、メタ言語レベルに適用される漂白化の認知プロセスについて、多種多様な具体事例を取り上げながら、その認知プロセスの実態について、簡単に紹介してきた。その結果、文字パーツに適用される漂白化（2～3節参照）と、文字そのものに適用される漂白化（4～6節参照）の、少なくとも2パターンが存在するという点が、明らかになったものと考えられる。

一般に、漂白化の認知プロセスは、先にも述べたように、意味内容レベルにおいて生じうるものとして、これまでは考えられてきた傾向があるが、本稿の議論を考慮に入れれば、それは、意味内容レベルにおいてのみならず、メタ言語レベルにも適用されうることがより明確に分かってくるように思われる。したがって、今後の研究においては、漂白化の認知プロセスの適用範囲をメタ言語レベルにまで拡大して、じっくりと考察を巡らしていくことが、この認知プロセスの実相に迫っていく意味では、特に大切なことであるように考えられる。

参考文献

Sweetser, Eve. (1988) "Grammaticalization and Semantic Bleaching." *BLS* 14: 389-405.

パンタファーの認知プロセス

1. はじめに

　認知言語学の研究領域では、意味上の類似性（semantic similarity）に着目して、２つの概念領域の間にリンクを張っていく認知プロセスは、一般にメタファー（metaphor）として広く知られている（cf. Lakoff & Johnson 1980, 1999; Lakoff 187; Kövecses 2002, 2005; 山梨 1988, 2007; 瀬戸 1995, 2017; 鍋島 2011, 2016; etc.）。しかしながら、実際の言語使用の状況を観察していくと、認知言語学の領域ではほとんど注目されることはないが、音声レベルのメタファー（あるいは音喩（phonological metaphor））と呼びえるものも、現実には存在しているように思われる。

　例えば、下記の事例について、ここで検討してみてもらいたい。

（１）うま辛のメニューが目玉の京都向日市激辛商店街。残暑の厳しい昼、加盟店に出掛けた。肉カレーうどん、カレーパン。カレーの匂いが食欲をそそる▼同じ読み方でも加齢の臭いは中年男性に大敵だ。近年、臭いが周囲を不快にするスメルハラスメントなる言葉を聞く。職場やオフィスで匂いに対する意識が高まっている▼
　　　　（「（凡語）香害１１０番」京都新聞 2017 年 8 月 27 日［下線は筆者による］）

このコラムでは、最初の部分では、「カレー」に関わる話題から始まるわけであるが、その後は、音声上の類似性（phonological similarity）に基づいて、その話題が「カレー」から「加齢」の話へとシフトしていっている。その際、ここで特に注目をしなければいけないのは、下記の（２）の下線で示したように、「カレー」と「加齢」という２つのことばの間には、音声レベル

でのリンク（すなわち音声リンク）が機能することによって、その話題転換がきわめてスムーズに成されているという点である。

　（2）音声リンク：　カレー（kare:）　―　加齢（karei）

　一般に、このような事例を観察していくと、おのずと気づいてくるのは、メタファーが意味的な類似性に基づいてそのリンク関係を確立させてきているとすれば、上記の（1）に示した事例では、音声的な類似性に基づいて、そのリンク関係が確立されてきているという点である。したがって、この意味においては、（2）に示したような音声リンクの背景では、音声レベルのメタファーが関与してきているものとして、一般には考えていくことができそうである。

　本稿では、音声的な類似性に基づいて、そのリンク関係が確立されてくる、このようなタイプの音声リンクのことを、パンタファー（puntaphor）と命名することによって、その認知プロセスが機能する具体事例をいくつか紹介してみたいと考えている。なお、パンタファーという名称は、筆者が考え出したものには相違ないが、必ずしも適当に付けたものではなく、下記の（3）に示されるように、音声リンクに基づくことば遊びとして有名なだじゃれ（pun）と、意味的類似性に基づくリンク関係を意味するメタファー（metaphor）とを、ブレンドさせて構築した造語であるという点に、ここでは注意されたい。

　（3）pun　＋　metaphor　→　puntaphor

2. だじゃれ

　一般に、音声レベルのメタファー（すなわちパンタファー）は、ことば遊び現象において重要な役割を果たす場合が、比較的多いものと考えられる。その中でも、特にだじゃれ（pun）を生み出すのに、頻繁に活用されていることは、先に論じた通りである。したがって、パンタファーが関与している言語現象の具体事例の1つとしては、まさにだじゃれということ

ば遊び現象を指摘することができる。

　例えば、下記のだじゃれについて、ここで考えてみることにしよう。

　（4）a．イカはいかがですか？
　　　　b．もんじゃはただ焼くもんじゃない。
　　　　c．扇子（せんす）だけにセンスがいい。

（4）では、いずれの事例においても、下線を施した部分に、だじゃれ（すなわち音声レベルの類似性）が関与しているものと考えられる。まず、（4a）においては、「イカ」という魚介類と、「いかがですか？」の冒頭にある「いか」とが、音声上のリンク関係を張っているわけであるので、ここにはパンタファーの構造化が成されているものと考えることができる（（5a）参照）。次に、（4b）においても同様に、「もんじゃ」という食べ物と、「焼くもんじゃない」の中間に位置する「もんじゃ」とが、音声上のリンク関係を構造化しており、まさにこの部分にパンタファーの認知プロセスを垣間見ることができるようになっている（（5b）参照）。そして、（4c）においても、「扇子（せんす）」と「センス」の間に、音声的な類似性が認められるので、ここでも、まさにパンタファーの認知プロセスが機能してきていることが分かってくる（（5c）参照）。

　（5）a．イカ（ika）　—　いかがですか？（ika）
　　　　b．もんじゃ（monja）　—　焼くもんじゃない（monja）
　　　　c．扇子（せんす）（sensu）　—　センス（sensu）

3．だじゃれの2タイプ

　前節の（4）に紹介しただじゃれでは、音声レベルの類似性に関与する部分が、基本的に分離して言語化されているものと考えられる。すなわち、（4a）では「イカ」と「いかがですか？」、（4b）では「もんじゃ」と「焼くもんじゃない」、そして（4c）では「扇子（せんす）」と「センス」が、言語表現上は、完全に独立した状態となっている点に、ここでは注目して

もらいたい。

　しかしながら、もう１つのタイプのだじゃれにおいては、音声レベルの類似性に関与する部分が、完全にあるいは部分的に重複する形で構造化されるもう１つのタイプのだじゃれも、実のところ、観察されうる。例えば、下記の（６）などの例が、それに該当しているものと考えられる。

（６）林家たい平「昇太お刺身盛り合わせはどうでしょう」
　　　春風亭昇太「いいねえ」
　　　林家たい平「<u>つま</u>はついてません」
　　　　　　　（日本テレビ「笑点（第 2600 回）」（2018 年 2 月 18 日放送）より
　　　　　　　　　　　　　　　　　　　　　　　　　　　　　　　[下線は筆者による]）

ここでは、下線を施した「つま」という部分に着目してほしい。まずは、林家たい平が「昇太お刺身盛り合わせはどうでしょう」と発話することで、春風亭昇太は「いいねえ」と答えるわけであるが、その後に続く林家たい平の発言には、２つの意味が同時に掛け合わされているものと分析することができる。すなわち、「お刺身」のフレームが頭の中に喚起されている場合には、「つまはついてません」の「つま」は、大根の「つま」のことを意味してくるのであるが、これに対して、「春風亭昇太」フレームが頭の中に喚起されると、この方は当時独身であったがために、「つまはついてません」の「つま」が、「妻」としても解釈されてくるようになっているのである。つまり、（６）の文脈下で用いられた「つま」ということばには、大根の「つま」と結婚相手である「妻」の２つの意味が、巧みに掛け合わされた、パンタファーの構造化がその背景で見え隠れしているのである（（７）参照）。

（７）<u>つま</u>（大根フレーム）　―　<u>妻</u>（春風亭昇太フレーム）

　したがって、（６）の事例に関しても、音声的な類似性で結合されているという点では、だじゃれの一種として、ここでは理解していくことがで

きるように思われる。そうなると、だじゃれと一口に言っても、それには少なくとも２つのものを区分していくことができるという視点が、ここでは見えてくるように考えられる。すなわち、１つは、（４）に示したように、パンタファーの部分が言語表現上、分離されて生じてくる場合と、もう１つは、（６）に示したように、パンタファーの部分が言語表現上、重複して生じてくる場合の、２つのタイプがあるということである。ここでは、前者のような分離タイプのだじゃれをスプリット型だじゃれ（split pun）、これに対して、後者のような重複タイプのだじゃれをブレンド型だじゃれ（blended pun）と命名して、一般に区分しておきたいと思う。したがって、ダジャレの分類としては、下記の（８）に示したような形で、一般に整理することができるものと考えられる。

（８）だじゃれの分類：
　　　a．スプリット型だじゃれ（パンタファーの部分が分離するタイプ）
　　　b．ブレンド型だじゃれ（パンタファーの部分が重複するタイプ）

4．掛詞（かけことば）

　このような形で、だじゃれということば遊びを２つのタイプに分けて考えていくと、後者のブレンド型だじゃれというのは、和歌技法として頻繁に活用されている、いわゆる掛詞（かけことば）の原理とも、密接に関係してくるように思われる。掛詞の認知プロセスについては、安原（2021）でも議論したように、１つのことばに対して、２つの意味合いが閉じ込められる構造を持っているので、まさにパンタファーの部分が重複するブレンド型だじゃれの具体事例の１つであると、ここでは理解していくことができそうである。

　例えば、下記の和歌について、ここで検討してみることにしよう。

（９）いにしへの　奈良の都の　八重桜（やへざくら）
　　　けふ九重（ここのへ）に　にほひぬるかな

［伊勢大輔（いせのたいふ）］

この和歌は、『小倉百人一首』の第61番目の歌としても収録されている、比較的有名な歌であるが、この中には、和歌の技法として、2つの掛詞が使用されているがために、そこには重層的な意味の響きが醸し出される形となっている。したがって、この和歌の歌意としては、下記のように理解することができるそうである。

(10) 昔の奈良の都の八重桜が、今日の（この平安の）宮中のこの辺りに美しく咲いていることですよ。

（谷山茂・猪野謙二・村井康彦・本多伊平［編］『新訂国語総覧（第五版）』
京都書房 2010 年 p. 104）

この和歌に用いられている掛詞を具体的に説明すれば、1つは「けふ」の部分、もう1つは「九重（ここのへ）」の部分に、その技法が組み込まれている。前者の「けふ」というのは、現代仮名遣いで書けば「きょう」のことであるので、1つは「今日」という意味が、そしてもう1つはいわゆる都（みやこ）である「京」という意味の2つが、ここでは掛け合わされて使用されている（(11 a) 参照）。そして、後者の「九重（ここのへ）」に関しては、1つは「九重」ということば自体が「宮中」の意味を成しているので、まずはその意味が、そしてもう1つは「ここのへ」という音を「ここの辺」と解釈することによって、「この辺り」という意味が出てきて、ここではそれらの2つの意味が同時に掛け合わされる形で、もう1つの掛詞が成立してきている（(11 b) 参照）。

(11) a ．けふ (kyou)： 今日 ― 京
     b ．九重 (kokonoe)： 九重（＝宮中） ― ここの辺

したがって、このような形で、和歌技法の一種である掛詞を分析してくると、その背景には、パンタファーの認知プロセスが関与してきていることは、一目瞭然である。くわえて、掛詞はだじゃれの基本原理をも一般に取り込んでいるものと言えるので、上記の分析に基づく限りにおいては、

だじゃれの中でも、パンタファーの部分が重複するブレンド型だじゃれの構造を備えていることが、上記の議論からも、分かってくるようになる。

5. 語呂合わせ

　パンタファーの認知プロセスが関与している具体事例として、上記では、だじゃれと掛詞について議論してきたが、これら以外にも、パンタファーの認知プロセスは、言語使用の上で重要な働きを担っている場合がある。その1つの具体事例として挙げられるのが、まさに語呂合わせであると言える。

　語呂合わせというのは、広義に定義していけば、だじゃれの一種であるとも言うことができるわけであるが、その中でも特に数字を用いただじゃれのことを、ここでは語呂合わせと呼んでおきたい。

　例えば、まずは、下記の事例について、ここで考えてみることにしよう。

(12)　a．語呂でいえば、<u>きょう29日は月例の「肉の日」</u>。

（「余録」毎日新聞 2018 年 10 月 29 日［下線は筆者による］）

　　　b．やがて数字を表示できるようになると専用の受信端末は「ポケットベル（ポケベル）」と呼ばれた▼<u>「49（至急）」</u>との表示に、公衆電話へ飛びついて勤務先へ連絡した、営業など外勤職経験者は多いだろう▼

（「（凡語）ポケベルの日」京都新聞 2018 年 7 月 1 日［下線は筆者による］）

ここでは、下線を施した部分に、語呂合わせが関与しているものと考えられる。まず、(12a) では、「29」という数字は、読み方によっては「にく」とも読むことができるので、つまり「肉」という意味へと進化を遂げている。同様に、「49」という数字も、読み方によっては「しきゅう」とも読むことができるので、ここでは「至急」という意味合いとして理解されている。したがって、(12a) の場合には、「2」＝「に」、「9」＝「く」というパンタファー（音声レベルの概念リンク）が（(13) 参照）、これに対して、(12b) の場合には、「4」＝「し」、「9」＝「きゅう」というパンタファー（音

声レベルの概念リンク）が（（14）参照）、ここでは成立してきているものとして、一般に分析していくことができる。

(13) a. 2（ni）— に（ni）
　　 b. 9（ku）— く（ku）
(14) a. 4（shi）— し（shi）
　　 b. 9（kyu）— きゅう（kyu）

　この他にも、歴史的な事柄が発生した年号を覚える際には、語呂合わせで覚えるという方法は、誰しもが一度は経験したことのあることではないかと考えられる。例えば、その一例として、下記の（15）は、どうであろうか。

(15) 894（はくし）に戻そう遣唐使

歴史的な事実としては、菅原道真の進言によって、遣唐使の派遣を取り止めることを決定したのが、ちょうど894年であるということで、（15）に示したような語呂合わせが、年号の暗記に一役買っているというわけである。つまり、ここでは、（16）に示したように、「8」＝「は（ち）」、「9」＝「く」、「4」＝「し」という構造化の下で、まさにパンタファーの認知プロセスが、その威力を発揮してきていると言うことができる。

(16) a. 8（hachi）— は（ha）
　　 b. 9（ku）— く（ku）
　　 c. 4（shi）— し（shi）

　なお、（16ａ）の「8」＝「は（ち）」に関しては、数字の「8（はち）」という音声の先頭部分にある「は」と、平仮名の「は」が、パンタファーの構造を構築しており、数字の「8（はち）」における「ち」の部分は、ここでのパンタファー認識では完全に無視されている点に、ここでは注意

されたい。一般に、このような場合には、認知言語学的な観点から理解すれば、「8（はち）」の「ち」という音声が漂白化されることによって、その構造化が成されているとも（（17）参照）、実質的には分析していくことができるかもしれない（なお、メタ言語レベルの漂白化に関しては、安原（2022）などを参照のこと）。

　（17）　8：　はち（hachi）　→　は（ha）

6．頭韻と脚韻

　頭韻（alliteration）とは、語頭に韻を踏むことば遊びのことを、一般に意味している。例えば、吉本新喜劇の島木譲二は、(18)に挙げるようなギャグを飛ばし、一世を風靡したものと考えられる。

　（18）　a．しまった　しまった　島倉千代子　（島木譲二）
　　　　　b．こまった　こまった　こまどり姉妹　（島木譲二）

このギャグの場合には、下線で示したように、語頭の部分だけは音声が完全に一致しているという現象が観察される。つまり、(18 a)で言えば「しま（島）」の部分が、これに対して、(18 b)で言えば「こま」の部分が、音声的に完全に重複していると言わなければならない。したがって、このような頭韻と呼ばれる言語現象の背景においても、パンタファーの認知プロセスが、巧みに利用されているものと、ここでは理解していくことが可能である。

　これに対して、脚韻（rhyme）とは、頭韻とは正反対の現象のことであり、つまりは、語尾に韻を踏むことば遊びのことを、一般に意味している。例えば、ここでも、吉本新喜劇の島木譲二によるギャグを借用すると、その具体事例としては、下記のようなものを指摘することができる。

　（19）　a．ごめん　ラーメン　チャーシューメン　（島木譲二）
　　　　　b．びっくり　しゃっくり　ごゆっくり　（島木譲二）

このギャグの場合には、ここでも下線で示したように、先ほどとは正反対に、語尾の部分だけが音声的に完全に一致していることが認識されうる。つまり、（19ａ）の場合には「めん（メン）」の部分が、そして（19ｂ）の場合には「っくり」の部分が、音声レベルで完全に重複していると言えるのである。したがって、このような音声上の重複を観察すると、脚韻と称される言語現象の背景においても、パンタファーの認知プロセスが、巧みに機能していることが、おのずと分かってくるようになる。

7. だじゃれの「なぞなぞ」

　日本語のことば遊びの中でも、その代表格とも言えるのが、「なぞなぞ」と呼ばれることば遊びである。「なぞなぞ」と一口に言っても、それには多種多様なものが存在していることは事実であるけれども、ここで議論しているパンタファーの認知プロセスが関与している「なぞなぞ」というものも、現実には存在している。

　パンタファーの認知プロセスが関与しているということになると、そこには、当然のことながら、だじゃれの要素がおのずと入り込んでくるものと想定されうる。したがって、この種の「なぞなぞ」は、一般に「だじゃれなぞなぞ（conundrum）」と呼ばれることが、比較的多いものと考えられる。

　ここでは、その具体事例として、下記の３種類の「だじゃれなぞなぞ」について、パンタファーの認知プロセスの観点から、その分析をしてみることにしたい。

(20)　ａ．オバケの話やコワイ話をする場所は、どこかな？
　　　　　［答え］階段（怪談）
　　　　　　　　　（このみ・プラニング『なぞなぞ大行進』小学館 2001 年 p. 265）
　　　ｂ．梅干しとレモンを、いつも持ち歩いている人の商売は、なあに？
　　　　　［答え］スパイ（すっぱい）
　　　　　　　　　（このみ・プラニング『なぞなぞ大行進』小学館 2001 年 p. 167）
　　　ｃ．家を引っ越すときに燃やしてしまう花って、なあに？
　　　　　［答え］コスモス（越す燃す）

（このみ・プラニング『なぞなぞ大行進』小学館 2001 年 p. 11）

　まず、（20 a ）の「なぞなぞ」では、その答えに、パンタファーの認知プロセスが隠されているものと、一般に判断することができる。つまり、「階段」という場所と「怪談」という話の間に観察される音声レベルの類似性が、ここでのパンタファーの認知プロセスを支えていると言えるのである。その際、「階段」と「怪談」は、/kaidan/ という音声で完全一致している点に、ここでは特に注目されたい。

　しかしながら、次の（20 b ）の「なぞなぞ」に関しては、「スパイ」という職業と「すっぱい」という性質の間に、確かに音声レベルでの類似性が観察されるものの、「すっぱい」の方には「っ」という音が余分に追加されているために、音声レベルで完全一致となっているとは言うことができなくなっている。そうはいうものの、「スパイ」と「すっぱい」の間には、音声レベルの類似性はきちんとキープされていることは確かであるので、この場合にも、パンタファーの認知プロセスがその背景で機能しているものと考えられる。

　そして、最後に提示された（20 c ）の「なぞなぞ」では、（20 a ）や（20 b ）の「なぞなぞ」とはそのプロセスが大きく異なり、ある意味で素直でない「なぞなぞ」となっているように感じられる。というのも、この「なぞなぞ」の答えの部分にパンタファーの認知プロセスが働いていることは事実としても、「コスモス」ということばを、「コス」と「モス」とに分解して、その上で、前者には「越す」、後者には「燃す」という音声リンクを確立させるという、きわめて複雑な認知プロセスが適用されているからである。しかしながら、このような複雑なプロセスが認められるとしても、そこで機能しているのは、音声的類似性に基づくパンタファーの認知プロセスであり、それがただ単に率直なものではないというのが、（20 c ）の「なぞなぞ」であるというわけである。

　このような形で、(20) に示した 3 タイプの「なぞなぞ」を観察してみると、パンタファーの認知プロセスと言えども、現実には、少なくとも 3 タイプのものが存在するのではないかという点が、以上の分析より、示唆されて

くるようにも感じられる。つまり、音声的類似性という側面から、各々の
パンタファーの認知プロセスを見ていくと、（20 a）では音声が完全に同
一であるのに対して、（20 b）では音声の一部が同じではあるが、別の部
分では異なるところもあるという有り様である。そして、（20 c）に至っ
ては、「コス」＝「越す」、そして「モス」＝「燃す」という部分では音声
的に完全に同一であるものの、その背景では、「コスモス」という1語を、「コ
ス」と「モス」に分解している点で、擬似的な分析が介入しているものと
想定されうる。

　したがって、このような点を整理していくと、パンタファーの認知プロ
セスには、下記の（21）に示すように、3タイプのものを、一般に区分し
ていくことができるように思われる。

　　（21）パンタファーの分類：
　　　　　a．同音パンタファー（homophonous puntaphor）
　　　　　b．類音パンタファー（assonant puntaphor）
　　　　　c．擬似パンタファー（pseudo-puntaphor）

まず、（21 a）の「同音パンタファー」は、（20 a）の「なぞなぞ」の答
えに見られるように、2つの音声が完全一致しているパンタファーのこと
であると、一般に定義することができる。次に、（21 b）の「類音パンタ
ファー」に関しては、（20 b）の「なぞなぞ」の答えに観察されるように、
2つの音声間で十分な共通性はあるものの、その一部では異なる部分も残
されているパンタファーとして、ここでは理解されうるものと考えられる。
そして、最後に残った（21 c）の「擬似パンタファー」では、（20 c）の「な
ぞなぞ」の答えに見られるように、1つのことばを複数の要素に分解した
上で、パンタファーの認知プロセスが適用されてくるという、擬似分析を
伴ったパンタファーのことであると、一般に認識していくことができる。

8.　語呂合わせのクイズ

　パンタファーの認知プロセスが関与している具体事例として、最後に、

クイズ（quiz）からの具体事例を 1 つ紹介しておきたいと思う。それは、下記の（22）のクイズである。

（22）空欄に入る動詞は？
　　　４９＝泣く　５９＝飲む
　　　５４＝磨く　２８＝「？」
　　　（青）笑う　（赤）怒る　（緑）食べる
　　　［答え］（青）笑う

（TBS「東大王」（2020 年 6 月 24 日）より）

　このクイズを解いていく際には、言うまでもなく、パンタファーの認知プロセスが必要となり、問題文に特に数字が出てきていることを考慮に入れれば、ここでは特に語呂合わせがそのヒントとなってくるように思われる。

　このようなクイズの場合、1 つの問いが解けてしまうと、その論理が他のものにも適用可能となってくるので、ひらめけば、その答えに直ぐにたどりつくことができそうである。本論では、残念ながら、クイズを楽しむための本ではないので、早速ではあるが、その論理を、パンタファーの認知プロセスの観点から説明してみたいと思う。

　まず、「４９＝泣く」という表示が何を表現しているかと言うと、「泣く」という動作を行う場合には、「しくしく」という様態が伴ってくる場合もあるということを、ここでは示唆しているものと考えられる。つまり、この場合には、パンタファーの認知プロセスとして、「４」＝「し」、「９」＝「く」という語呂合わせが、ここでは重要な働きをしてきているのである。

　そうなると、他の項目に関しても、似たような論理を適用していくことができるようになるので、「５９＝飲む」の場合には、「５」＝「ご」と「９」＝「く」で、「ごくごく飲む」という様態を表現していることになる。同様に、「５４＝磨く」についても、「５」＝「ご」と「４」＝「し」ということで、「ごしごし磨く」という様態を、ここでは認識できるようになる。

　したがって、このような論理の下で、「２８＝「？」」という部分を検討

すると、「2」＝「に」、「8」＝「や」という語呂合わせが構造化されてくるので、ここでは「にやにや笑う」という様態が抽出できることとなってくる。したがって、「？」に入る動詞としては、「（青）笑う」が正解になるというわけである。

　このように、クイズの論理を構造化していく上でも、パンタファーの認知プロセス（すなわちこの場合には語呂合わせ）が、その背景で重要な働きをしていることが、以上の考察から、明確に理解できてくるものと思われる。

9.　おわりに

　本稿では、音声レベルの類似性に基づいて、そのリンク関係が確立されてくるパンタファーの認知プロセスについて、その具体事例を豊富に提示しながら、その認知プロセスの諸相について、簡単に議論してきた。その結果、だじゃれ、掛詞、語呂合わせ、頭韻、脚韻、「なぞなぞ」、クイズといったことば遊び現象の背景で、パンタファーの認知プロセスが巧みに機能していることが分かってきたように思われる。また、パンタファーにもいくつかのタイプがあることを指摘して、同音パンタファー、類音パンタファー、そして擬似パンタファーという3種類のものが少なくとも特定可能であることも、本論では示唆してきたものと考えられる。

　認知言語学の研究領域では、意味レベルの類似性に基づいて、そのリンク関係が確立されてくるメタファーについては、膨大な数の研究文献が存在しているものと思われるが、その反面、本論で議論したようなパンタファーの認知プロセスについては、まだほとんど手が付けられていないようにも感じられる。その意味では、認知言語学の研究領域においては、メタファー研究のみならず、パンタファー研究も、より一層活発化していくことが、今後の研究では、大いに期待されるところである。

参考文献

Kövecses, Zoltán. (2002) *Metaphor: A Practical Introduction.* Oxford: Oxford University Press.

Kövecses, Zoltán. (2005) *Metaphor in Culture: Universality and Variation.* Cambridge: Cambridge University Press.

Lakoff, George. (1987) *Women, Fire, and Dangerous Things: What Categories Reveal about the Mind.* Chicago: The University of Chicago Press.

Lakoff, George, and Mark Johnson. (1980) *Metaphors We Live By.* Chicago: The University of Chicago Press.

Lakoff, George, and Mark Johnson. (1999) *Philosophy in the Flesh: The Embodied Mind and its Challenge to Western Thought.* New York: Basic Books.

鍋島弘治朗 (2011)『日本語のメタファー』東京：くろしお出版.

鍋島弘治朗 (2016)『メタファーと身体性』東京：ひつじ書房.

瀬戸賢一 (1995)『メタファー思考』東京：講談社.

瀬戸賢一 (2017)『よくわかるメタファー — 表現技法のしくみ —』東京：筑摩書房.

山梨正明 (1988)『比喩と理解』東京：東京大学出版会.

山梨正明 (2007)『比喩と理解（新装版）』東京：東京大学出版会.

安原和也 (2021)『認知言語学の散歩道』東京：英宝社.

安原和也 (2022)「メタ言語レベルの漂白化プロセス」本書所収論文.

クロスワード・パズルにおけるカギ解きの認知プロセス

1. はじめに

　安原（2021）においては、クロスワード・パズル（crossword puzzle）の作成に関わる認知プロセスについて、認知言語学の一般的な枠組みの中で、その実態を探求してきたものと考えられる。しかしながら、その論考においては、そのちょうど逆のプロセスにあたるカギ解きの背景に隠されている認知プロセスについては、基本的に言及しないままとなっていた。そこで、本論では、クロスワード・パズルにおけるカギ解きに観察される認知プロセスの諸相について検討していくことで、このようなカギ解きの背景に隠されている認知プロセスの実態について、突き止めていきたいと考えている。

2. クロスワード・パズルの基礎知識

　クロスワード・パズルは、基本的に、「ヨコのカギ（ACROSS）」と「タテのカギ（DOWN）」を組み合わせて、ことばのパズルを構築していくことば遊び（language play）の一種であると考えられる。その際、ことば同士を組み合わせていく背景では、概念ブレンディングの認知プロセスが（cf. Fauconnier & Turner 2002, 2006: Coulson 2002; etc.）、きわめて重要な働きをすることが、既に明らかとなっている（cf. 安原 2021）。また、クロスワード・パズルにおけるクイズの構築には、フレームの喚起（cf. Fillmore 1982, 1985）や参照点能力の起動（cf. Langacker 1993, 2000b, etc.）といった認知プロセスが、その背景できわめて重要な役割を果たしていることも、明らかとなっている（cf. 安原 2021）。そして、クロスワード・パズルにおけるクイズ作成に関しては、対象言語知識の活用が顕著に観察されるのに対

して、クロスワード・パズルにおける文字数ヒントに関しては、メタ言語知識の活用が顕著に観察されるという点も、明確となっている（cf. 安原2021）。

　このような研究上の進展の中で、クロスワード・パズルにおけるカギ解きの背景で機能している認知プロセスについては、いまだ本格的な研究は成されないままとなっている。そこで、以下では、クロスワード・パズルにおけるカギ解きの背景で機能しているものと考えられる認知プロセスとしては、どのようなものがあるのかについて、具体事例を検証しつつ、その考察を加えてみたいと考えている。

3．言語知識の基本構造

　クロスワード・パズルにおけるカギ解きの背景で機能しているものとして考えられる認知プロセスについて考察をしていくためには、まずは、言語とはどのような構造を成しているのかについて、少し検討を加える必要がある。この点は、安原（2021）でも述べたように、認知言語学（より具体的には認知文法）の一般的な枠組みの中では、記号的文法観（the symbolic view of grammar: cf. Langacker 1987, 1990, 2008, 2013, etc.）と呼ばれる考え方に、言語の基本構造は委ねられることになる。すなわち、この考え方の下では、形態素から、語・句・節・文、そして談話に至るまで、ありとあらゆる言語単位のレベルが、一般に記号構造（symbolic structure）と呼ばれる、音と意味のペア構造から成り立っているものとして一般に理解されている。したがって、クロスワード・パズルにおけるカギ解きに関しても、その土台となってくる言語は、このような音と意味を組み合わせた記号構造で構造化されているものとして、ここでも認識される必要がある。

　なお、言語の基本構造と言う場合には、文字という側面もきわめて重要なものとなりうるが、この点については、認知文法の枠組みの中でも議論されてきたように、文字は音の構造を表記するためのものに過ぎないという意味で、音の二次的な側面に留まるものと考えられるため、文字の知識に関しては、音の構造の中に組み込まれているものとして、ここでも理解

しておきたい。

　したがって、このような形で、言語の基本構造を想定してくると、言語知識の構造としては、下記の（１）に挙げるような分類が、基本的に可能となってくるように思われる。

　（１）言語知識の分類：
　　　　ａ．メタ言語知識：音や文字そのものについての言語知識のこと。
　　　　ｂ．対象言語知識：意味そのものについての言語知識のこと。

すなわち、言語知識の構造としては、大きく分けて、（１ａ）のメタ言語知識と（１ｂ）の対象言語知識に二分されうるということである。

　前者のメタ言語知識（meta-linguistic knowledge）については、一般に、音や文字に関わる言語知識のことを意味しており、したがって、「「みかん」という音声は /mikan/ という音の構造を備えている」といった音声上の知識や、「「かたつむり」ということばは仮名の場合には５文字で表記される」といった文字上の知識が、ここで言うところのメタ言語知識になってくるものと思われる。

　これに対して、後者の対象言語知識（object-language knowledge）に関しては、基本的に、ことばの意味に関わる知識として認識されうるものであるので、それを端的に言えば、認知言語学でいうところのフレーム知識（cf. Fillmore 1982, 1985）に相当しているものとして理解するのが、比較的分かりやすいように思われる。したがって、「キムチ」ということばが有している対象言語知識としては、「キムチ」ということばを読んだり聞いたりした際に、頭の中に喚起できるキムチの一般的なイメージが、その知識の中には含まれているものとして、ここでは考えていけばよい。そうなると、「キムチ」の対象言語知識としては、「韓国の漬け物の一種である」「味としては酸味があって、且つ辛い」「白菜や大根、キュウリなどのキムチがある」などといったものが、その認識対象になってくるものと、一般には考えられる。

4. カギ解きの認知プロセス

　このような形で、言語知識の基本構造を一般に整理してくると、（1）に示したように、言語知識には、少なくとも2タイプのものがあることが分かってくるようになる。すなわち、音や文字そのものについての言語知識として定義されるメタ言語知識と、意味そのものについての言語知識として定義される対象言語知識の、2つである。そうなると、クロスワード・パズルのカギ（すなわちクイズ）を解いていく際にも、基本的に、この2種類の言語知識が巧みに利用されてくることは、想像に難くないところである。

　ここでは、クロスワード・パズルのカギ解きを行っていく際に、メタ言語知識の活用が必要とされてくる場合には、メタ言語レベルでの連想（ML-association）が行われていくものとして、一般に考えておくことにしたい。これに対して、クロスワード・パズルのカギ解きを行っていく際に、対象言語知識の活用が必要となってくる場合には、対象言語レベルでの連想（OL-association）が行われていくものとして、一般に規定しておきたい。

4.1. メタ言語レベルのカギ解き

　まずは、メタ言語レベルのカギ解きの方から、その具体事例を観察してみることにしたい。メタ言語レベルのカギ解きと一口に言っても、それにも様々な種類のものがあることは事実であるが、ここでは、3種類のものを紹介しておくことにしたい。

　1つは、ことわざやコロケーションなどといった定型表現が穴埋め形式で提示されて、穴となっているものに入るべきことばを当てていくというクイズである。その具体事例としては、下記の（2）を挙げることができる。

（2）a．頭隠して――隠さず　＜ヒント：2文字＞

　　　　　［答え］シリ（尻）

　　　b．――は三文の徳　＜ヒント：4文字＞

　　　　　［答え］ハヤオキ（早起き）

　　　c．選挙で――を問う　＜ヒント：3文字＞

　　　［答え］ミンイ（民意）

　（２）のクイズにおいては、どれをとっても、「頭隠して尻隠さず」「早起きは三文の徳」「選挙で民意を問う」といった定型表現そのものがクイズとなっているので、分かりやすく言えば、その言い回しそれ自体を知らなければ、その答えにはたどりつかないことになる。したがって、このような場合には、メタ言語レベルの知識を総動員して、その答えを見つけ出していく必要がある。

　例えば、（２ａ）の場合で考えてみると、「頭隠して――隠さず」というクイズが提示されると、穴になっている部分に入ることばを探さなくてはならないわけであるが、このような場合には、メタ言語知識を頭の中に想起して、それに該当することばを探していく必要がある。したがって、このような認知プロセスは、認知言語学の観点から理解していくと、参照点能力（cf. Langacker 1993, 2000b, etc.）がここでは関与しているものと考えられる。すなわち、頭の中に想起されるメタ言語知識の総体がここではドミニオン（dominion）として認識された上で、「頭隠して ―― 隠さず」という定型表現クイズが参照点（reference point）となり、最終的にその答えとなるべき「シリ（尻）」ということばが浮かび上がってきて、それがターゲット（target）として特定されるというわけである。

　（２ｂ）や（２ｃ）についても同様で、頭の中に喚起されるメタ言語知識の総体がドミニオンとして認識された上で、定型表現クイズそのものが参照点として機能し、最終的に答えであるターゲットを絞り込んでいくという、参照点能力を反映した認知プロセスが、このカギ解きの背景では行われているものと考えられる。なお、（２ｃ）の「選挙で民意を問う」というフレーズは、（２ａ）や（２ｂ）のものとは少し性質を異にしているように考えられるが、その言い回しそのものをここでは知っていればよいわけであるので、１つの定型表現として、ここでは見なすことができる。

　次に、もう１つのメタ言語レベルのカギ解きとしては、省略表現に関わるクイズが、これに該当しているものと考えられる。すなわち、下記の（３）に挙げるものが、その具体事例であると言える。

（3）a．正式には国民健康保険のことです　＜ヒント：3文字＞

　　　　　［答え］コクホ（国保）

　　　b．流行の言葉「リケジョ」は――女子の略

　　　　＜ヒント：3文字＞

　　　　　［答え］リケイ（理系）

　このようなタイプのクイズでは、略される前の言語形態と略された後の言語形態が、メタ言語レベルできちんと認識できているかどうかが問われているので、その知識を活用することで、ここではその答えを導き出していけばよい。つまり、（3a）の場合には、（4a）に示すように、「国民健康保険」ということばが漂白化の認知プロセス（cf. 安原2022）を経由して、「国保」と略されること、そして、（3b）の場合には、（4b）に示すように、「理系女子」ということばが、カタカナ化と漂白化という2つの認知プロセスを介することで、「リケジョ」に略されることを、メタ言語知識レベルで認識できていれば、その答えには直ぐにたどり着くことができるものと、一般に想定されうる。

（4）a．国民健康保険　→　国保

　　　b．理系女子　→　リケイジョシ　→　リケジョ

　そして、メタ言語レベルのカギ解きとしては、さらに、下記の（5）に挙げられるようなクイズも、このレベルに位置づけられるものと考えられる。

（5）a．漢字で「瑪瑙」と書く宝石　＜ヒント：3文字＞

　　　　　［答え］メノウ

　　　b．「肌」「肺」などの偏です　＜ヒント：4文字＞

　　　　　［答え］ニクヅキ

まず、（5a）では、ただ単に漢字の読み方（とりわけ難読漢字の読み方）

が出題されているわけであるが、これはメタ言語レベルの知識と照らし合わさなければ、その読み方は出てこないものと考えられるので、メタ言語レベルのカギ解きとして、一般には認識されうるものと言える。そして、（5ｂ）に関しては、部首の名称を答えることが要求されているわけであるが、一般に、部首の名称も、メタ言語レベルの知識の一種であると判断されうるので、（5ｂ）もまた、メタ言語レベルのカギ解きとして、ここでは理解していくことができる。

4.2. 対象言語レベルのカギ解き

　ここまでは、メタ言語レベルのカギ解きについて、認知言語学の一般的な枠組みの中で考察を加えてきたわけであるが、クロスワード・パズルのカギ解きにおいては、対象言語レベルの知識を必要とするものの方が圧倒的に多いという点は、クロスワード・パズルを解いた経験のある人にとっては、直観的に見ても、きわめて納得のいくところであろう。したがって、メタ言語レベルのカギ解きとは大きく異なり、対象言語レベルのカギ解きには、多種多様なタイプのものが存在しているものと考えられる。したがって、本論において、そのすべてを網羅することは基本的に難しいものと思われるので、代表的なものを中心に取捨選択して、以下では、対象言語レベルのカギ解きの背景に潜んでいると考えられる認知プロセスについて、紹介しておくことにしたい。

　まず、対象言語レベルのカギ解きにおいては、何と言っても、フレーム知識を活用したクイズというものが、圧倒的に多いものと考えられる。つまり、特定のことばの定義や説明、あるいは背景情報などを提示して、その特定のことばを当てさせるクイズというものが、その中核を占めていると言っても過言ではない。例えば、これに該当するものとしては、下記の（6）などを挙げることができる。

　（6）ａ．エジプトの首都　＜ヒント：3文字＞

　　　　　　　［答え］カイロ

　　　ｂ．原子番号1番。元素記号はＨ　＜ヒント：3文字＞

　　　　［答え］スイソ（水素）
　　　c．子どもの病気が専門分野のお医者さま　＜ヒント：5文字＞
　　　　［答え］ショウニカ（小児科）

　このようなタイプのクイズを解いていく際には、一般に、頭の中にフレーム知識を喚起させればよい。まず、（6a）については、「エジプトの首都」はどこかということなので、頭の中に地理フレームを喚起させて、その中を探索していけば、「カイロ」ということばが思いつくことになる。次に、（6b）に関しては、「原子番号1番。元素記号はH」というヒントが与えられているわけであるので、理科フレームないしは化学フレームを頭の中に喚起させて、その中をたどっていけば、「水素」という答えが直ぐに見つかってくるはずである。そして、（6c）については、「子どもの病気が専門分野のお医者さま」ということであるので、病院フレームを喚起させて、それが何科に属するかを考えていけば、おのずと「小児科」という答えにたどり着くものと思われる。

　なお、このような答えの探索においても、参照点能力（cf. Langacker 1993, 2000b, etc.）の認知プロセスが大きく関与してきていることは、言うまでもないことである。つまり、例えば、（6b）でこの点を検証してみれば、理科フレームないしは化学フレームがドミニオンとして喚起されると、「原子番号1番。元素記号はH」というヒントが参照点になってくるので、そのターゲットとしては、答えである「水素」が結果的に絞り込まれていくという認知プロセスが、その背景では機能してきているのである。

　次に、対象言語レベルのカギ解きとしては、さらに、カテゴリー知識を活用したクイズというものも、時として出題されることがある。例えば、下記の（7）などのカギが、これに該当しているものと言える。

（7）a．バラとかナノハナとかシクラメンとか　＜ヒント：2文字＞
　　　　［答え］ハナ（花）
　　　b．セージやタイムやローズマリーなど　＜ヒント：3文字＞
　　　　［答え］ハーブ

このようなクイズの場合には、上位語と下位語という意味カテゴリーの構造を頭の中に喚起させれば、その答えを容易に見つけ出していくことができる。まず、（７ａ）では、「バラ」「ナノハナ」「シクラメン」という具体事例（すなわち下位語）が提示されているので、それらを包括する概念（すなわち上位語）となると、それは「花」ということばが浮かんでくることになる。同様に、（７ｂ）の場合にも、「セージ」「タイム」「ローズマリー」といった具体事例（すなわち下位語）が提示されているので、それらの総称（すなわち上位語）としては、「ハーブ」ということばが、その答えになってくる。

　したがって、（７）のようなクイズでは、上位語と下位語という意味カテゴリーが、その答えを導き出すのに、重要な働きをしていることになるので、これを認知言語学の一般的な枠組みの中で捉え直していくと、それは、カテゴリー関係に基づいて概念関係を確立させていく認知プロセスとして一般に知られているシネクドキー（synecdoche: cf. 瀬戸 2002; 野内 2007; etc.）が、この場合の答えの探索では、強く関与してきているものと考えられる。

　（７）のカギ解きにおいては、上位語と下位語という意味関係（semantic relation）が関与してきていたわけであるが、一般的な意味論の分野において、意味関係と言えば、上位語と下位語という意味関係以外にも、反義関係や類義関係といったものも、実質的には存在しているはずである。したがって、これらのものも、クロスワード・パズルのカギとして、一般に使用できるものと考えられる。例えば、下記の（８）などが、その具体事例に相当していると言える。

（８）ａ．ヒガシと反対方向　＜ヒント：２文字＞
　　　　　［答え］ニシ（西）
　　　ｂ．河川を英語で言うと？　＜ヒント：３文字＞
　　　　　［答え］リバー

（８ａ）では、反義関係を利用したクイズとなっており、「ヒガシ」の反対

側として、「ニシ（西）」がその答えとなっている。これに対して、（8 b）
では、類義関係がそのクイズに利用されており、日本語で「河川」という
ところを、英語では何というかということが問われ、結果的に「リバー」
という答えが提示される形となっている。

　それでは、このような反義関係や類義関係といった意味関係は、認知言
語学の一般的な枠組みの中では、どのように捉えていくことができるもの
なのであろうか。まず、反義関係に関しては、例えば（8 a）を前提にし
て考えていくと、方角のフレームが頭の中に喚起された上で、その答えで
ある「西」という要素にアクセスができているものと考えられる。したがっ
て、反義関係についても、フレーム喚起をドミニオンとした上で、参照点
として認識される「東」から、ターゲットとして認識される「西」へと、
そのフォーカスが移動していく参照点能力の関与が、その背後に認められ
てきそうである。すなわち、反義関係を捉えていく際にも、フレームの喚
起は必須となり、その上で、反義関係にある要素を探していくということ
が、ここでは求められているように思われる。

　これに対して、類義関係というのは、やや複雑で、このような場合には、
2つのフレームが喚起されなければならないように考えられる。例えば、
（8 b）で言えば、日本語のフレームと英語のフレームという2つのもの
が喚起された上で、その間に共通する概念を認識していくことが、類義関
係の基本であると言わなければならない。したがって、（8 b）の場合には、
日本語のフレームに「河川」のイメージが喚起された後に、英語のフレー
ムもそれに伴って喚起されてきて、その日本語のイメージにほぼ対応する
英語の語彙を、英語のフレームの中で探索した結果として、「リバー」と
いう答えにたどり着くことになっている。

4.3. スキーマ化のカギ解き

　複数のインスタンス（あるいはフレーム）が喚起された上で、その
間に観察される共通項を抽出していく認知プロセスは、特にスキーマ化
（schematization）として知られている（cf. Langacker 1988, 2000a, etc.）。こ
のようなスキーマ化の認知プロセスも、クロスワード・パズルにおけるカ

ギ解きにおいては、実のところ、活用される場合がある。例えば、下記の（9）に挙げるような具体事例が、それに該当しているものと考えられる。

（9）a．ヒツジにもヤギにもある　＜ヒント：2文字＞
　　　　　［答え］ツノ（角）
　　　b．──字　──帽　──サラ　＜ヒント：2文字＞
　　　　　［答え］ダツ（脱）

　まず、（9a）に関しては、「ヒツジにもヤギにもある」ものを探し出していく必要があるので、ここでは「ヒツジ」と「ヤギ」の2つのフレームが頭の中に喚起される。そして、その上で、両者に共通するものを探し当てていくと、「ツノ（角）」があるという共通項が見えてくることになるので、それがここでの答えとなっている。したがって、（9a）の共通項探しにおいては、対象言語レベルの知識を前提にして、そのスキーマ化が適用されたものと考えられる。

　これに対して、（9b）に関しては、3つの下線部に共通する要素をここで当てはめることが要求されているので、ここでもスキーマ化の認知プロセスが関与するものの、ここでは対象言語レベルではなく、メタ言語レベルの知識がフル活用されることになっている。つまり、その3者に共通する要素としては、「脱字」「脱帽」「脱サラ」ということばとして成立させていくことができるので、ここでは「ダツ（脱）」という要素が、ここでの答えとして浮上してくることになっている。

5．おわりに

　本論では、クロスワード・パズルのカギ解きの背景に隠されている認知プロセスの諸相について、興味深い具体事例を検討しながら、認知言語学の一般的な枠組みの中で、その分析を施してきたと言える。その結果、このようなカギ解きの背景では、フレーム喚起、参照点能力、漂白化、シネクドキー、スキーマ化などといった認知プロセスが、きわめて重要な働きを担っていることが、以上の議論より、明らかになったものと考えられる。

　認知言語学の一般的な枠組みの中で、クロスワード・パズルを分析して
みようという試みは、まだまだ始まったばかりで、本論に関しても、まだ
まだ本格的な議論の俎上にまでは届いていないように思われる。しかしな
がら、クロスワード・パズルというきわめて特殊なことば遊び現象（ない
しは言語現象）を、認知言語学の観点から分析していくという方向性は、
認知言語学の応用可能性を見極める意味では、非常に意義深いものである
と、筆者は考えている。とはいえ、本論は、まだまだその序章に過ぎない
ものであると考えられるので、今後の研究において、このような言語研究
がさらに進展していくことを、ただただ切に願うばかりである。

参考文献

Coulson, Seana. (2001) *Semantic Leaps: Frame-Shifting and Conceptual Blending in Meaning Construction.* Cambridge: Cambridge University Press.

Fauconnier, Gilles, and Mark Turner. (2002) *The Way We Think: Conceptual Blending and the Mind's Hidden Complexities.* New York: Basic Books.

Fauconnier, Gilles, and Mark Turner. (2006) "Mental Spaces: Conceptual Integration Networks." In: Dirk Geeraerts (ed.), *Cognitive Linguistics: Basic Readings*, pp. 303-371. Berlin/New York: Mouton de Gruyter.

Fillmore, Charles J. (1982) "Frame Semantics." In: The Linguistic Society of Korea (ed.), *Linguistics in the Morning Calm*, pp. 111-137. Seoul: Hanshin Publishing Co.

Fillmore, Charles J. (1985) "Frames and the Semantics of Understanding." *Quaderni di Semantica* 6(2): 222-254.

Langacker, Ronald W. (1987) *Foundations of Cognitive Grammar, Vol.1: Theoretical Prerequisites.* Stanford: Stanford University Press.

Langacker, Ronald W. (1988) "A Usage-Based Model." In: Brygida Rudzka-Ostyn (ed.), *Topics in Cognitive Linguistics*, pp. 127-161. Amsterdam: John Benjamins.

Langacker, Ronald W. (1990) *Concept, Image, and Symbol: The Cognitive Basis of Grammar.* Berlin/New York: Mouton de Gruyter.

Langacker, Ronald W. (1993) "Reference-Point Constructions." *Cognitive Linguistics* 4(1): 1-38.

Langacker, Ronald W. (2000a) "A Dynamic Usage-Based Model." In: Michael Barlow and Suzanne Kemmer (eds.), *Usage-Based Models of Language*, pp. 1-63. Stanford: CSLI Publications.

Langacker, Ronald W. (2000b) *Grammar and Conceptualization.* Berlin/New York: Mouton de

Gruyter.

Langacker, Ronald W. (2008) *Cognitive Grammar: A Basic Introduction.* Oxford: Oxford University Press.

Langacker, Ronald W. (2013) *Essentials of Cognitive Grammar.* Oxford: Oxford University Press.

野内良三 (2007)『レトリックのすすめ』東京：大修館書店 .

瀬戸賢一 (2002)『日本語のレトリック ― 文章表現の技法 ―』東京：岩波書店 .

安原和也 (2021)『認知言語学の散歩道』東京：英宝社 .

安原和也 (2022)「メタ言語レベルの漂白化プロセス」本書所収論文 .

詩作品とプロファイリング現象

1. はじめに

　ある特定の概念基盤を前提とした上で、そこに存在するある特定の一部分にフォーカス（ないしは焦点）を与えていく認知プロセスは、認知言語学の研究領域の中では、一般にプロファイリング（profiling）と呼ばれている（cf. Langacker 1987, 1990, 1991, 2000, 2008, 2009, 2013, etc.）。その際、その前提となる概念基盤のことはベース（base）、これに対して、フォーカス（ないしは焦点）が与えられていく一部分のことはプロファイル（profile）と呼ばれ、概念上、一般に区分されている。例えば、下記の（1）の事例では、このようなベースとプロファイルの概念化（すなわちプロファイリングの認知プロセス）が、その意味解釈の背景で、うまい具合に適用されているものと考えられる。

　（1）父の日である。　…（略）…　この日は年に一度しかない。
（「中日春秋」中日新聞 2016 年 6 月 19 日［下線は筆者による］）

　ここでは、下線でも示したように、「父の日」は「年に一度しかない」と表現されており、その意味においては、1 年間の中で「父の日」が特に強調されているイメージが頭の中には思い描かれるのではないかと思われる。つまり、このような認識状態に至るということは、そこにはプロファイリングの認知プロセスが、その背景で、巧みに機能しているからであるとも、一般に理解していくことが可能である。すなわち、この場合のベースとして認識されているのは、「1 年間」という時間単位、あるいは「1 年間」をイメージしたカレンダーであり、その中で、特に「父の日」、つまりは

「6月の第3日曜日」に、ここではプロファイルが与えられている状態が、まさに作り出されているのである。したがって、（1）の言語理解においては、「1年間」をベースとした上で、「父の日（すなわち6月の第3日曜日）」にプロファイルを与えるという概念化が、ここでは成立してきていると言っても過言ではないことになる。

　このような形で、プロファイリングの認知プロセスは、言語理解、特にその意味解釈の領域において、その機能を十二分に発揮する認知プロセスとして、認知言語学の研究領域の中では、一般に広く知られているものと考えられる。しかしながら、このようなプロファイリングの認知プロセスは、そのベースとなるべき領域を、意味領域ではなく、メタ言語領域（すなわち音や文字に関わる領域）に差し替えていっても、その機能は十二分に発揮されうるとも、一般には理解されるところである。

　そこで、本論では、このようなプロファイリングの一側面を考察していく目的で、詩作品に観察されるプロファイリング現象を検証することで、メタ言語領域においても、プロファイリングと称される認知プロセスは、きわめて重要な役割を担うことができるという側面を、本論では示唆してみたいと考えている。なお、本論で取り上げる詩作品は、筆者が本論の都合のよいように自らで作り上げた詩作品ということではなく、実際に出版も成されているプロの詩人によって手がけられた詩作品を、その分析の対象としていることを、ここで断っておきたいと思う。

2. 頭韻の詩作品

　まずは、頭韻という技法が活用された詩作品から、その検討を始めることにしたい。頭韻（alliteration）とは、読んで字のごとく、頭の部分に韻を踏むことを、一般に意味している。したがって、詩作品の書き出しの部分が、同じ文字（ないしは文字列）で揃えられるというわけである。

　例えば、下記の作品においては、すべての書き出し部分が「う」という文字で完全に統一される形を採用しており、まさに頭韻による詩作品の代表的な例として、一般に挙げることが可能である。なお、詩作品の中に見られる斜線（／）は、元々のフォーマットとしては改行がしてあったこと

を意味するものであり、これ以降に紹介する詩作品においても、紙幅の都合上、同様の形で詩作品を提示することを、ここで断わっておきたいと思う。

（２）うしのうしろに　（谷川俊太郎）
　　　　　うるさい／うさぎは／うそをつく
　　　　　うみに／うめぼし／ういている

　　　　　うちの／うちわは／うつくしい
　　　　　うぐいす／うれしい／うたうたう

　　　　　うしの／うしろに／うまがいる
　　　　　うまい／うなぎは／うりきれだ

　　　　　　　（はせみつこ［編］『しゃべる詩 あそぶ詩 きこえる詩』
　　　　　　　　　　　　　　　　　　　　冨山房 1995 年 pp. 14-15）

　したがって、このような詩作品を観察すると、プロファイリングの認知プロセスは、次のような形で埋め込まれているものとして、一般に解釈していくことができる。つまり、この場合には、（１）の詩作品全体がベースとして認識された上で、各書き出しの先頭に位置している「う」の文字にプロファイルが付与されているという構造が、ここでは見えてくることになる（（３）参照：太字表記＝プロファイル）。その意味では、このような詩に触れることによって、このようなプロファイリングの概念化が見えてくるようになると、詩作品それ自体がまるで躍り出していくかのようなイメージも、おのずと喚起されてくるものと考えられる。

（３）うしのうしろに　（谷川俊太郎）
　　　　　うるさい／**う**さぎは／**う**そをつく
　　　　　うみに／**う**めぼし／**う**いている

　　　　　うちの／**う**ちわは／**う**つくしい

うぐいす／**う**れしい／**う**たうたう

うしの／**う**しろに／**う**まがいる
うまい／**う**なぎは／**う**りきれだ

3. 脚韻の詩作品

　前節では、書き出しの先頭に同一の文字（なしは文字列）が並んでいる頭韻の詩について紹介してきたが、まさにそれとは正反対のことが行われる脚韻の詩作品というものも、現実には存在している。脚韻（rhyme）とは、こちらも読んで字のごとく、脚の部分に韻を踏むことを、一般に意味している。したがって、詩作品の句切れにおける末端部を、同じ文字（ないしは同じ文字列）で揃えていくという技法が、ここで言う意味での脚韻であると言える。

　脚韻の詩作品の代表的な例としては、下記の（4）を指摘することができる。

（4）ばった　（郡山半次郎）
　　　ばった　ねばった　ふんばった
　　　いばった　ばった　がんばった

　　　ばった　しまった　はやまった
　　　こまった　ばった　あやまった

　　　ばった　へばった　くたばった
　　　はいつくばった　しんじゃった

　　　（はせみつこ［編］『しゃべる詩 あそぶ詩 きこえる詩』冨山房 1995 年 p. 62）

　この作品は、実際に声を出して読んでみると、句切れの末端部に同一の音声が現れてくるという事実が、より顕著に感じられてくるように思われる。つまり、この詩作品の場合にも、プロファイリングの認知プロセスが、その背景で巧みに機能しており、それがこの詩作品の完成度を高めている

とも言えるかもしれない。ここでも、（４）の詩作品全体がベースとして理解された上で、今度は先ほどとは逆に、「ばった」という末端部にプロファイルが施されることとなっている（（５）参照：太字表記＝プロファイル）。

（５）ばった　（郡山半次郎）
　　　　ばった　ね**ばった**　ふん**ばった**
　　　　い**ばった**　**ばった**　がん**ばった**

　　　　ばった　しま**った**　はやま**った**
　　　　こま**った**　**ばった**　あやま**った**

　　　　ばった　へ**ばった**　くた**ばった**
　　　　はいつく**ばった**　しんじゃ**った**

　　ただし、（５）を見ても分かる通り、ここでの脚韻には少し変則的な部分が見られ、そのすべてが「ばった」を脚韻としているようではないようである。まず、１連目については、うまい具合に「ばった」の脚韻がすべて当てはまっているのであるが、２連目と３連目については、「ばった」という脚韻と同時に、「った」という脚韻も登場してきて、結果として２つの脚韻が競い出しているような印象を受けることとなる。特に、２連目に関しては、「ばった」よりも「った」の方の登場回数が多く観察されるわけであるが、その後、３連目に戻ると、その登場回数は逆転し、「ばった」の方がより多く顔を出すようになっている。

4. ことば探しの詩作品

　　続いて、ことば探しの詩作品について、考察を加えてみることにしたい。これは、ある特定のことばの文字列をよくよく観察していくと、その中に別のことばが見えてくる（あるいは隠れている）という側面を利用して、その詩作品が仕上げられたものである。したがって、特定の文字列を前提とした上で、その中に別のことばを探し出していくという意味で、ここでは便宜的に「ことば探し」と表現しているのである。

このタイプの詩作品の代表的な例としては、下記の（6）が、これに該当しているものと考えられる。

　（6）愉快な夜想曲　（織田道代）
　　　　　　みみずに／みみは／あるのかな
　　　　　　おおかみに／かみのけ／あるのかな
　　　　　　あめだまに／めだま／あるのかな
　　　　　　デコレーションケーキに／おでこ／あるのかな
　　　　　　かたつむりに／かた／あるのかな
　　　　　　うでたまごに／うで／どうだろう
　　　　　　ラムネに／むねは／あるのかな
　　　　　　パイナップルに／おっぱい／あるのかな
　　　　　　ところてんに／こころ／あるのかな
　　　　　　ぶどうに／どうは／どうだろう
　　　　　　よなかに／おなかは／あるのかな
　　　　　　あしたに／あしは／あるのかな
　　　　　　　　　　　　（はせみつこ［編］『しゃべる詩 あそぶ詩 きこえる詩』
　　　　　　　　　　　　　冨山房 1995 年 pp.72-75）

　　ここでも、プロファイリングの認知プロセスが、その背景でうまく機能してきており、その結果、独特のリズムをこの詩に与えることとなっている。しかしながら、この場合には、先ほどまでとは大きく異なり、1行ごとのフレーズをベースとして認識した上で、音として重なる部分にプロファイルが与えられる形となっている。したがって、その状況を図式的に示してみるとすれば、それは下記の（7）のようになる（なお、（7）における太字表記はプロファイルを意味している）。

　（7）愉快な夜想曲　（織田道代）
　　　　　　みみずに／**みみ**は／あるのかな
　　　　　　おお**かみ**に／**かみ**のけ／あるのかな

あ**めだまに**／**めだま**／あるのかな

デコレーションケーキに／お**でこ**／あるのかな

かたつむりに／**かた**／あるのかな

うでたまごに／**うで**／どうだろう

ラ**ムネ**に／**むね**は／あるのかな

パイナップルに／おっ**ぱい**／あるのかな

と**ころ**てんに／**ころ**／あるのかな

ぶ**どう**に／**どう**は／どうだろう

よ**なか**に／お**なか**は／あるのかな

あしたに／**あし**は／あるのかな

　まず、１行目では、「みみず」ということばをベースとした上で、その中から「みみ」ということばを探し出している。次に、３行目では「あめだま」というベースの中から「めだま」ということばを、５行目では「かたつむり」というベースの中から「かた」ということばを、6行目では「うでたまご」というベースの中から「うで」ということばを、7行目では「ラムネ」というベースの中から「むね」ということばを、10行目では「ぶどう」というベースの中から「どう」ということばを、12行目では「あした」というベースの中から「あし」ということばを見つけ出している。

　しかしながら、２行目、４行目、８行目、９行目、11行目に関しては、ことば探しとは少し状況が異なるようである。つまり、これらの行の場合には、音としてダブっている部分を探して、楽しんでいるようである。その意味では、これらの行のものについては、ことば探しというよりも、音の重複を見つけ出しているとも言えるかもしれない。具体的には、２行目では「おおかみ」の「かみ」と「かみのけ」の「かみ」が、４行目では「デコレーションケーキ」の「デコ」と「おでこ」の「でこ」が、８行目では「パイナップル」の「パイ」と「おっぱい」の「ぱい」が、９行目では「ところてん」の「ころ」と「こころ」の「ころ」が、11行目では「よなか」の「なか」と「おなか」の「なか」が、それぞれ音声レベルのリンクを張っているものとして、ここでは分析することができる。また、同様の点は、

10 行目にも観察され、ここでは、「ぶどう」の「どう」、「どう」の「どう」、そして「どうだろう」の「どう」の、3つの「どう」が音声的に3層構造をなしているものと考えられる。このような認知プロセスは、認知言語学の研究領域内では、パンタファー（puntaphor）として、一般に知られている（cf. 安原 2022）。つまり、パンタファーとは、分かりやすく言えば、音声レベルでのメタファーのことであり、したがって、音声的類似性に基づいて、その構造は確立されてくるものとして、一般に定義されている。

　ことば探しの詩作品として、ここでは、もう1つ、具体事例を追加しておきたい。それは、下記の（8）である。

（8）ふしぎなくにぐに　（織田道代）
　　　イギリスには　りすがいる　／　りすが　いっぴき　あそんでる
　　　　／　ほんとかな？
　　　日本には　ほんがある　／　ほんが　いっさつ　しまってある
　　　　／　ほんとかな？
　　　アメリカには　あめがふる　／　あめが　いつも　ふっている
　　　　／　ほんとかな？
　　　ジャマイカには　いかがいる　／　いかが　ゆうゆうと　およい
　　　　でる　／　ほんとかな？
　　　ネパールには　パールがある　／　パールが　ひとつぶ　かがや
　　　　いている　／　ほんとかな？
　　　オーストラリアには　とらがいる　／　たぶん　おすのとらだよ
　　　　／　ほんとかな？
　　　イスラエルには　いすがある　／　だれかが　すわる　いすがあ
　　　　る　／　ほんとかな？
　　　エルサルバドルには　さるがいる　／　さるが　いっぴき　かく
　　　　れてる　／　ほんとかな？
　　　ベルギーには　ベルがある　／　ベルが　やさしく　なりひびい
　　　　ている　／　ほんとかな？
　　　カナダは　かなたにある　／　てんてんが　みえないほど　かな

　　　たにね　／　ほんとかな？
　　　アルゼンチンには　なにがある　／　なんでも　かんでも　ある
　　　ぜ！　／　ほんとだよ！！
（はせみつこ［編］『おどる詩 あそぶ詩 きこえる詩』
冨山房インターナショナル 2015 年 pp. 114-117）

　この詩作品においても、各連の冒頭のフレーズに、プロファイリングの認知プロセスが、うまく仕掛けられていると言える。まず、第 1 連では、「イギリスにはりすがいる」と書かれているので、この場合には「イギリス」をベースとして認識した上で、最後の部分の「リス」にプロファイルを与えれば、「りす」ということばを取り出していくことが可能である。同様に、第 2 連では「日本」をベースとして「ほん」ということばを、第 3 連では「アメリカ」をベースとして「あめ」ということばを、第 4 連では「ジャマイカ」をベースとして「いか」ということばを、第 5 連では「ネパール」をベースとして「パール」ということばを、第 6 連では「オーストラリア」をベースとして「とら」ということばを、第 7 連では「イスラエル」をベースとして「いす」ということばを、第 8 連では「エルサルバドル」をベースとして「さる」ということばを、第 9 連では「ベルギー」をベースとして「ベル」ということばを、ここでは見つけ出していくことが可能となっている。そして、第 10 連では、「カナダ」ということばをベースとして認識した上で、その中の濁点（ ゛）を取り除いて、「かなた」ということばを発見するに至っている。しかしながら、第 11 連においては、その理由は定かではないが、「アルゼンチン」というベースの中からは、何も取り出されないという構造でもって、この詩は終わっている。したがって、以上のベースとプロファイルの概念化をまとめて提示すれば、それは（9）のように整理することが可能となる。

（9）ふしぎなくにぐに　（織田道代）
　　　イギリス**には　りす**がいる　／　りすが　いっぴき　あそんでる
　　　／　ほんとかな？

77

日**本**には　**ほん**がある　／　ほんが　いっさつ　しまってある　／　ほんとかな？

アメリカには　**あめ**がふる　／　あめが　いつも　ふっている　／　ほんとかな？

ジャマ**イカ**には　**いか**がいる　／　いかが　ゆうゆうと　およいでる　／　ほんとかな？

ネ**パール**には　**パール**がある　／　パールが　ひとつぶ　かがやいている　／　ほんとかな？

オース**トラ**リアには　**とら**がいる　／　たぶん　おすのとらだよ　／　ほんとかな？

イスラエルには　**いす**がある　／　だれかが　すわる　いすがある　／　ほんとかな？

エル**サル**バドルには　**さる**がいる　／　さるが　いっぴき　かくれてる　／　ほんとかな？

ベルギーには　**ベル**がある　／　ベルが　やさしく　なりひびいている　／　ほんとかな？

カナダは　**かなた**にある　／　てんてんが　みえないほどかなたにね　／　ほんとかな？

アルゼンチンには　なにがある　／　なんでも　かんでも　あるぜ！　／　ほんとだよ！！

5. あいうえお作文の詩作品

　それでは、本論では最後の詩作品の例示となるが、あいうえお作文の詩作品について、最後に、検討してみたいと思う。あいうえお作文というのは、その詩作品の各行の先頭に特定のことばを埋め込んで、詩を作ることば遊びのことを、一般に意味している。したがって、「あいうえお」「かきくけこ」ということばを埋め込む形で、詩を作っていくと、例えば、下記の（10）のような作品が仕上がってくることとなる。

（10）あいうえお　かきくけこ　（川崎洋）

　　　　あの
　　　　いしの
　　　　うえに
　　　　えさを
　　　　おいてごらん

　　　　からすが
　　　　きて
　　　　くわえるよ
　　　　けんぶつしよう
　　　　この　まどで

（水内喜久雄［編］『子どもといっしょに楽しむことばあそびの詩100』
たんぽぽ出版 2007 年 p. 37）

　この詩をじっくりと眺めれば分かってくるように、各行の先頭の 1 文字を縦方向に読んでいけば、第 1 連では「あいうえお」という文字列が、第 2 連では「かきくけこ」という文字列が、浮かび上がってくることを、一般に確認することができる。つまり、(10) の詩作品においては、それ全体としては 1 つのストーリーが描かれているのではあるが、その裏側には、1 つの遊び心として、文字列を埋め込むという仕掛け（ないしは技法）が組み込まれているのである。

　したがって、ここで言うところの仕掛けをより明確化させていくためには、本論で取り扱っているプロファイリングの認知プロセスが、ここでは重要な役割を果たしてくれることとなる。つまり、第 1 連においては、それをベースとして認識した上で、各行の先頭の 1 文字にプロファイルを与えれば、「あいうえお」という文字列が、ここでは見えてくるようになっている（(11) 参照：太字表記＝プロファイル）。同様に、第 2 連についても、それをベースとして認識した上で、各行の先頭の 1 文字にプロファイルを与えていくと、今度は「かきくけこ」という文字列が、ここでは浮かび上がってくることになる（(11) 参照：太字表記＝プロファイル）。

（11）あいうえお　かきくけこ　（川崎洋）

　　　　あの
　　　　いしの
　　　　うえに
　　　　えさを
　　　　おいてごらん

　　　　からすが
　　　　きて
　　　　くわえるよ
　　　　けんぶつしよう
　　　　この　まどで

　このように、あいうえお作文の詩作品の背景においても、文字の埋め込みという側面において、プロファイリングの認知プロセスが、きわめて重要な働きをしていることが、以上の議論からも、一般に理解できてくるように思われる。

6. おわりに

　本論では、詩作品に観察されるプロファイリング現象の実例を紹介しながら、プロファイリングの認知プロセスが有する１つの側面を考察してきたものと考えられる。その結果、プロファイリングの認知プロセスは、意味領域のみならず、メタ言語領域においても、きわめて重要な役割を担うことができるという側面を、本論では実証的に提示できたのではないかと考えている。

　認知言語学の一般的な枠組みの中では、プロファイリングの認知プロセスは、きわめて知名度の高い認知プロセスの１つであると言えるが、それがメタ言語領域においても機能しうるという点は、まだまだ未開拓の状況であると言わなければならない。その意味では、本論によって、このような方向性の研究が今後開拓されていくことは非常に実り多いことであると

考えられるので、それを切に願いつつ、本論を閉じることにしたいと思う。

参考文献

Langacker, Ronald W. (1987) *Foundations of Cognitive Grammar, Vol.1: Theoretical Prerequisites.* Stanford: Stanford University Press.

Langacker, Ronald W. (1990) *Concept, Image, and Symbol: The Cognitive Basis of Grammar.* Berlin/New York: Mouton de Gruyter.

Langacker, Ronald W. (1991) *Foundations of Cognitive Grammar, Vol.2: Descriptive Application.* Stanford: Stanford University Press.

Langacker, Ronald W. (2000) *Grammar and Conceptualization.* Berlin/New York: Mouton de Gruyter.

Langacker, Ronald W. (2008) *Cognitive Grammar: A Basic Introduction.* Oxford: Oxford University Press.

Langacker, Ronald W. (2009) *Investigations in Cognitive Grammar.* Berlin/New York: Mouton de Gruyter.

Langacker, Ronald W. (2013) *Essentials of Cognitive Grammar.* Oxford: Oxford University Press.

安原和也 (2022)「パンタファーの認知プロセス」本書所収論文.

言語知識の状態について

　認知言語学の一般的な枠組みの中で議論されてきたように、ことばの基本単位は、音の構造（phonological structure）と意味の構造（semantic structure）がペアを成すことによって、記号構造（symbolic structure）を作り上げるものとして、一般に規定されている。これは、記号的文法観（the symbolic view of grammar）と呼ばれ、形態素レベルから、句や節や文のレベル、そして談話レベルに至るまで、音と意味のペアから成り立つ記号構造以外は、ことばの基本単位としては認められないという根本原則として、認知言語学の研究領域では、幅広く知られているところである（cf. Langacker 1987, 1990, 1991, 2000, 2001, 2008, 2009, 2013, etc.）。

　しかしながら、ことばの基本単位をこのように規定していくことには、何の躊躇いもないのではあるが、実際の言語使用という側面から、この根本原則を捉え直してみると、1つの興味深い事実が浮かび上がってくるようにも思われる。

　例えば、1つのことばの単位として、(1)のような基本構造があったと、ここで仮定してみよう。

　(1) [α／β]

(1)では、音の構造の方をαとして、意味の構造の方をβとして仮定した上で、それらが角括弧（[　]）でまとめられることにより、1つの記号構造を成しているものとして、ここでは理解してもらいたい。そうすると、私たちがαという音声を聞いたり、あるいはαという文字を読んだりして、頭の中に蓄積されているαという要素にアクセスすると（(2b)参照：

太字表記＝アクセス）、基本的には、それと同時に、βとされる意味の情報も、同時にアクセスされる状態になるものと思われる（（２ｃ）参照：太字表記＝アクセス）。

（２）a. ［α／β］
　　　b. ［**α**／β］
　　　c. ［**α**／**β**］

　これに対して、次のような場合も、当然ありうるはずである。つまり、私たちがβというイメージをふいに頭の中に喚起させて、βという要素にアクセスしていくと（（３ｂ）参照：太字表記＝アクセス）、それと同時に、それに対応することば（つまり言語形式（＝音声や文字））も同時にアクセスされてしまうという現象である（（３ｃ）参照：太字表記＝アクセス）。

（３）a. ［α／β］
　　　b. ［α／**β**］
　　　c. ［**α**／**β**］

　今ここに提示した２つの現象は、言語使用上においては、きわめてありふれたものであって、こういう認知プロセスが機能してくるからこそ、私たちのコミュニケーションも円滑なものになっていくものと推定されうる。
　しかしながら、私たちの言語知識というものは、ある意味で限られたものであって、百科事典に書いてあるようなことをすべて、私たちが頭の中に持ち合わせているという保証はどこにもない。そうなると、次のような現象も、現実問題として、生じてくるものと思われる。
　すなわち、これには２つの可能性があって、その１つは、αへのアクセスができたものの、それを介してβへのアクセスができず、それ以上、言語処理は進まないという場合である（（４）参照：―は情報の皆無を意味する）。これは、言語形式（つまり音声や文字）は頭の中に浮かんでいる

ものの、その意味合いについてはどういうことであるのかが認識できていないという状態を示しているものと考えられる。

（4）［**α**／―］

そして、もう１つの可能性としては、これとちょうど逆のプロセスをたどるように思われる。すなわち、βというイメージが頭の中にきちんと喚起されているのにも関わらず、それを表わすことば（つまり言語形式）が頭の中に浮かんでこないという場合である（（5）参照：―は情報の皆無を意味する）。これは、言いたいことや指示したいものは分かっているにしても、それを表現する言語形式が頭の中ではうまく構成できないという状態を示しているものとして、一般には理解されうる。

（5）［―／**β**］

つまり、現実的な言語使用の状況下においては、（2）や（3）のような状態であることが基本的には一般的であるとはいうものの、実際のところは、（4）や（5）のような状態で、言語処理がストップしてしまう場合も、当然ありうると考えなければならない。というのも、現実的なコミュニケーションの中では、言っていることが理解できなかったり、どのように言えばよいか分からなくなったりすることも、当然のことながら、ありうると考えられるからである。

そういう意味では、（1）に提示されたようなことばの基本単位としての記号構造は、ある意味で、理想論を述べているに過ぎず、私たちが頭の中に有しているすべての言語知識が、（1）のような状態で保管されているとは、到底考えることができない。というのも、言語形式は知っていても、その意味は知らないという場合もあれば、そのまったく逆で、そのイメージは分かっていても、それを表わす言語形式を知らないという場合さえ、現実的にはありうるからである。つまり、実際的なコミュニケーションの場においては、（4）や（5）のような状態の言語知識を持った上で

その場のコミュニケーションを運用しているという話し手や聞き手も、当然のことながら、存在してよいことになるのである。

　したがって、（4）や（5）のような状態の言語知識を、（1）のような状態の言語知識へと成長させていくためには、あくまでも言語経験を積み重ねていくしか、その方法はないものと思われる。つまり、認知言語学の一般的な枠組みの中で提案されてきたように、使用基盤モデル（usage-based model: cf. Langacker 1988, 1999, etc.）の考え方に則って、（4）や（5）のような状態の言語知識を、（1）のような状態の言語知識へと、自らの力で、育て上げていくほかないのである。そうなると、多種多様な言語経験の積み重ねによって、(1)のような言語状態がおのずと増えていくというのが、言語知識の習得に向けての自然な流れのように考えられる。

　筆者の実経験として、子どもの頃に、大人の会話を聞いても、なにも理解できなかったという場合が幾度もあったことを、非常によく記憶している。そのような場合でも、時には、理解できる語彙は出てきても、全体としてはその意味内容はまったく取れないという有り様なのである。このような状態は、まさに（4）の言語知識状態を示しているものと、一般には考えられるであろう。

　また、子どもの頃には、様々な空想を頭の中で行ったりするわけであるが、それをことばとして表現するのには、なかなか難しかったという経験も、筆者には存在している。大人の言語知識では、たったの一語ですべてが伝え合えるのに、それができないもどかしさを今でもよく記憶している。まさに、このような状態が、いわゆる（5）の言語知識状態であると言えるのであろう。

　しかしながら、大人になった現在であっても、（4）や（5）のような言語知識状態に陥ることも、当然のことながら、ありうると言わなければならない。記憶喪失とか、物忘れとかという意味ではなく、ただ単にそのことばを知らないという場合も、現実的には、比較的多いものと考えられる。もちろん、言語知識の量としては、子どもの頃とは大きく異なり、断然、増えていると自信を持って言えるわけであるが、（4）や（5）のような状態に陥ってしまう場合もまだあるということは、とどのつまり、私たち

は百科事典そのものを完璧に頭の中に埋め込んでいるわけではなく、実経験に基づいた言語知識を頭の中に蓄積してきたからこそ、そういうこともありうるのであろうと考えられる。

　そういう意味では、言語知識の状態というのは、常に不安定であると言っても過言ではないのかもしれない。よく使うことばはそれに伴ってよく活性化して、あまり使われなくなったことばは、その活性化の度合も落ちてくることになり、そもそも知識として持ち合わせていないことばの場合には、仮に大人であっても、（4）や（5）のような状態にもなるわけである。したがって、そういう意味では、認知言語学でいうところの使用基盤モデルというのは（cf. Langacker 1988, 1999, etc.）、言語習得のみならず、普段の何気ない言語使用を説明していく際にも、それなりの説明力を十二分に発揮してきてくれるものとして、一般には考えられるようにも思われる。

　言語学の研究と言えば、どちらかと言えば、きわめて真面目な言語使用の方に、その研究の重点が置かれることの方が圧倒的に多いものと考えられるが、以上のような点を考慮に入れるならば、ある意味で不真面目な言語現象に対しても、積極的なアプローチをしていかなければ、真の意味での言語研究には到達できないのではないかと、筆者は真剣に危惧している次第である。

参考文献

Langacker, Ronald W. (1987) *Foundations of Cognitive Grammar, Vol.1: Theoretical Prerequisites.* Stanford: Stanford University Press.

Langacker, Ronald W. (1988) "A Usage-Based Model." In: Brygida Rudzka-Ostyn (ed.), *Topics in Cognitive Linguistics*, pp.127-161. Amsterdam: John Benjamins.

Langacker, Ronald W. (1990) *Concept, Image, and Symbol: The Cognitive Basis of Grammar.* Berlin/New York: Mouton de Gruyter.

Langacker, Ronald W. (1991) *Foundations of Cognitive Grammar, Vol.2: Descriptive Application.* Stanford: Stanford University Press.

Langacker, Ronald W. (1999) "A Dynamic Usage-Based Model." In: Michael Barlow and Suzanne Kemmer (eds.), *Usage-Based Models of Language*, pp. 1-63. Stanford: CSLI Publications.

Langacker, Ronald W. (2000) *Grammar and Conceptualization.* Berlin/New York: Mouton de

Gruyter.

Langacker, Ronald W. (2001) "Discourse in Cognitive Grammar." *Cognitive Linguistics* 12(2): 143-188.

Langacker, Ronald W. (2008) *Cognitive Grammar: A Basic Introduction.* Oxford: Oxford University Press.

Langacker, Ronald W. (2009) *Investigations in Cognitive Grammar.* Berlin/New York: Mouton de Gruyter.

Langacker, Ronald W. (2013) *Essentials of Cognitive Grammar.* Oxford: Oxford University Press.

なぞなぞ研究の回想録
― 結びに代えて ―

　安原（2021）でも議論したように、認知言語学（cognitive linguistics）の一般的な枠組みは、日本語におけることば遊び現象の代表格として一般に認識される「なぞなぞ（riddle）」についても、その概念構造を中心とした分析を提供できることが、既に明らかとなっている。しかしながら、「なぞなぞ」といえども、実際のところは、多種多様なタイプのものが存在しており、そのすべてを、認知言語学の一般的な枠組みの中で取り扱えるのかどうかに関しては、いまだ不明の部分も多いものと考えられる。

　しかしながら、伝統的な言語学においてはほとんど見向きもされなかった「なぞなぞ」現象が、言語学の領域内で取り扱えることが分かってきたことは、言語学分野においては、たいへん大きな収穫の１つであると言わなければならない。というのも、これまでの言語研究においては、「なぞなぞ」も含めて、ことば遊び現象というものは、言語学の真面目な研究対象としては、一般に認識されてこなかったと言えるからである。

　そうはいうものの、言語学分野においては、その間、認知言語学と称される新しい考え方が台頭してくると、メタファー（metaphor）やメトニミー（metonymy）といった現象も、事実、言語学分野の積極的な研究対象として、幅広く議論されるようになってきたように考えられる（cf. Lakoff & Johnson 1980, 1999; Lakoff 1987; etc.）。しかしながら、メタファーやメトニミーといえども、これらのものも、本来的には言語学の積極的な研究対象としては認識されてこなかったという歴史があるということも、また事実であると言わなければならない。すなわち、通常の学問領域の観点から理解すると、メタファーやメトニミーといった現象は、主として修辞学

（rhetoric）や文学（literature）が取り扱うべき研究対象であるものとして、一般には認識されてきていたからある。そのような一般的な傾向があったにも関わらず、それを翻してまでも、メタファーやメトニミーといった現象を、言語学分野の真面目な研究対象として位置づけるまでに、認知言語学がその力を発揮してきたことは、現代からふり返って考えてみると、それは1つの奇跡であったとも言えるかもしれない。

　そして、このような原動力は、そこで留まるわけでは決してない。つまり、その次の段階では、言語学が最も苦手としてきた、あるいは、言語学が研究対象としては積極的に避けてきたことば遊び現象にも、認知言語学はその触手をまさに伸ばそうとしているのである（cf. 安原 2020, 2021, etc.）。筆者自身としては、このような方向性の展開は心の底から大歓迎であり、言語学がことば遊び現象までをも、その研究対象の射程に取り込んでいくことは、真の意味での言語学を追い求めるのに必要なだけではなく、これまで乖離状態であってきた言語学と文学との間の接点を見出していく意味でも、たいへん大きな意義があるものと考えている。

　「なぞなぞ」の出だしから、話が少し大きなものとなってきたので、このあたりで、その焦点を、当初の議論対象である「なぞなぞ」に戻してみることにしたい。筆者が「なぞなぞ」ということば遊びに取りつかれたのは、それは誰もが経験していることかもしれないが、幼少期であると考えられる。つまり、幼き頃から、「なぞなぞ」で遊んできた記憶が筆者の中には鮮明に残っており、その遊びという行動を通して、日本語というものの存在にも気づき、また日本語というものを習得してきたようにも考えられるのである。

　しかしながら、大学へ進学してから、言語学の講義を受けても、あるいは言語学の入門書を開いても、ことば遊び現象などはまったくと言ってよいほど議論されておらず、ましてや「なぞなぞ」など、登場してくるはずもない状況であったと記憶している。そんな中で、筆者の頭の中に浮かん

できたのは、現実と学問との大きなズレという感覚であったように推測される。すなわち、学問領域では、言語学と名乗っておきながら、その一要素を構成すべきはずのことば遊び現象にはまったく触れられることがなく、その反面で、先にも述べたように、「なぞなぞ」を代表とすることば遊びでもって、筆者は日本語ということばを覚えてきたという自信のようなものがあって、そういうあたりのところが、筆者を相当に悩ませてきたというわけである。つまり、このズレが、筆者にとっては、どうしても腑に落ちない、非常にもどかしい疑問であり続けたと言ってもよいかもしれない。

そうであれば、自らでことば遊びを研究対象とする言語学分野を構築していけばよいのではないかという発想も自然に浮かんできたわけではあるが、これをどう対処すべきかは、その時点では、知識不足の面も非常に大きく、このような思考はそこで完全にストップしてしまっていたように、今では思い出される。

そのような時にまさに転機となったのが、認知言語学と称される学問分野との出会いである。言語学に、このような分野があるということは、大学の講義などではまったく知る機会がなかったが、言語学それ自体にはかなりの関心があったので、いろいろな言語学の本を当時は読みあさっていたのも、今としては懐かしい限りである。そして、そんな中で、まさにたどり着いたのが、認知言語学と呼ばれる言語学分野だったのである。

大学の講義で触れられる言語学は、残念ながら、きわめて小難しいイメージを筆者の中には喚起させたが、認知言語学の入門書を開くと、そこにはまったく違ったイメージの言語学が、まさに天を昇るかのごとくに、花開いていたように思われる。その柔軟な発想に惹かれ、また、なじみ深く分かりやすい議論に支えられて、さらには、イメージを図式化したお絵かき風の認識にも魅力を抱いて、筆者は、独学で、認知言語学の世界を探求していくようになったことを、今でも記憶している。

そうすると、認知言語学という学問を突き進めば突き進むほど、先に指摘したような現実と学問との大きなズレというものが、なぜかは分からないけれども、自らの中で解消していくような感覚を覚えるようになってき

たのも、事実であると認めなければならない。そして、そういう段階には
じめてたどり着いて、そこで頭の中に再び浮かんできたのが、「なぞなぞ」
と呼ばれることば遊び現象であったということも、また事実である。つま
り、認知言語学という柔軟な発想に基づく言語学の道具立てがあれば、「な
ぞなぞ」を取り扱うことも、実際問題として、可能となるのではないかと
いう着想が、筆者の中には降りてきたのである。そして、この段階におい
てはじめて、言語学と「なぞなぞ」というものの間に、一種のつながりを
見出したと言ってもよいかもしれない。

　しかしながら、認知言語学の道具立てを活用しつつ、「なぞなぞ」を分
析するというのは、当時としては、まだ誰も試みていなかったわけである
ので、それはある意味で、それ相応の生みの苦しみというものも、味合わ
なければならない結果となったように考えられる。つまり、道具立てはい
くら目の前にあったとしても、それを用いてどのように分析していけばよ
いのか、頭の中がもやもやとして、はっきり言って、まったく分からない
という日々が続くことになるのである。

　認知言語学と「なぞなぞ」の間には必ず接点が見出せるということは、
なぜだかは不明ではあるが、それなりにはっきりしていたが、それを現実
のものとするまでの道のりは、それほど容易いものではなかったように思
われる。というのも、認知言語学の考え方（ないしは理論）を一生懸命に
吸収しつつ、その裏側では、子ども向けに編集された「なぞなぞ集」を買
い込んで、じっくりと読み続けることを繰り返し、その接点を探り出す努
力をしなければならなかったからである。

　そうしているうちに、この方向性の研究が成功するのか、はたまた失敗
するのかと、じっくりとその思考を巡らせていた時に、1つの光がようや
く見え始めたように思われる。それは、いわゆる概念ブレンディング理論
（cf. Fauconnier & Turner 2002, 2006, etc.）との出会いということである。「な
ぞなぞ」というのは、その名称からも推測されるように、謎めいた問いから、
特定の答えを導き出すことに、その面白さがあり、そのような特殊な論理
構造を取り扱えるものはないかと、認知言語学の世界を彷徨っていた時に、
ブレンドすることで創発性が生まれるという側面が、「なぞなぞ」の概念

とまさにリンクしているように、その時は感じられたのである。そこで、筆者は、この枠組みを用いて、様々な「なぞなぞ」の実例を丹念に分析していくことで、この方向性は十二分に開拓できる可能性に満ちているという確信を得て、「なぞなぞ」現象への認知言語学的アプローチという本格的な研究が始まっていくことになったのである。そして、筆者は、実際にそれを研究テーマとすることで、修士論文を書き上げることにも、何とか漕ぎ着けたのである（cf. 安原 2004）。

　筆者が修士号を得たのは 2004 年 3 月のことであるので、それからかなりの月日が流れ、もはや 20 年もの、時が過ぎたことになる。筆者は、博士論文では、英語の照応現象をその研究テーマに選んだので（cf. 安原 2012）、そのあたりから、「なぞなぞ」研究はおのずと影を潜めてくることになるのであるが、そんな中でも、頭の隅には「なぞなぞ」現象やことば遊び現象のことが、浮かんだり消えたりしていたのも、また事実である。そういう意味では、英語の照応現象を研究しつつも、その中にことば遊び的な要素を見つけ出して、それを取り込んだ照応研究も、実際には取り組んだりしたものである。そして、博士号を取得してからは、実務的な仕事の関係もあって、言語学とはやや疎遠になった月日がいくらかあったものの、そういう段階においても、いまだ「なぞなぞ」現象やことば遊び現象のことは忘れずに、頭の一隅で、何かできないかと、いろいろと思いを巡らせていたのも事実である。

　そうこうするうちに、自らの研究を思う存分行っていくことができる身分にも、幸いなことにたどり着き、その時点で、もう一度、「なぞなぞ」現象やことば遊び現象に、言語学分野（とりわけ認知言語学の分野）からアプローチしてみたいという考えが湧き出してきて、現在のような研究に至っているというわけである。

　当初は、「なぞなぞ」と認知言語学の接点のみを追い求めて、その研究を、ある意味で野心的に、筆者は進めてきたわけであるが、その関心は、今や

ことば遊び現象全体に拡大してきているものと考えられる。すなわち、認知言語学の柔軟な理論的枠組みは、「なぞなぞ」現象のみならず、もっと広い視点でいうところのことば遊び現象全般にも、きわめて有益な視点を提供してくれることが、今では理解できるようになっている。そのような研究をまとめた論考も、いくらかは発表したものの、いまだ発表していないものの方が圧倒的に多く、その量もかなりのものになってきている。そういった意味では、このような研究についても、機会を見つけて、思い切って発表してみるのも、1つの愉しみであるとも、言えなくもないかもしれない。しかしながら、数々の論考はそれなりに時間をかけて寝かせることで、また新しい深みや味わいが出てくるのではないかという考えもあり、発表の時期については、しばらくの間ではあるが、しっかりと熟考した上で、1つずつ判断していければと考えている。

　研究への道のりはきわめて険しく、相当に厳しいものであると、学生の頃は思っていたが、研究のるつぼの中に一度でも身を置いてしまえば、それはきわめて楽しい一時を構成するものにもなってしまう。何が面白くて、認知言語学など、あるいは「なぞなぞ」やことば遊びなど、研究しているのかと、傍から見れば思われるかもしれないが、人のしないことに敢えて果敢にチャレンジすることは、ある種の危険は伴うものの、一定の成果が出れば、きわめて愉しみを覚えるもので、もうその呪縛からは離れられそうもない。それは、筆者が身を持って体験してきたことであるので、それは間違いのないことである。とはいえ、研究人生という観点からは、この段階で研究はもう終わりというわけではなく、まだまだ長い道のりが続くものと思われる。そういった意味では、研究という仕事を結果的には選んだわけでもあるので、その道のりを一歩ずつじっくりと愉しみながら、今後も、斬新な研究活動に勤しんでいきたいと、心から願っているところである。

参考文献

Fauconnier, Gilles, and Mark Turner. (2002) *The Way We Think: Conceptual Blending and the Mind's Hidden Complexities.* New York: Basic Books.

Fauconnier, Gilles, and Mark Turner. (2006) "Mental Spaces: Conceptual Integration Networks." In: Dirk Geeraerts (ed.), *Cognitive Linguistics: Basic Readings*, pp. 303-371. Berlin/New York: Mouton de Gruyter.

Lakoff, George. (1987) *Women, Fire, and Dangerous Things: What Categories Reveal about the Mind.* Chicago: The University of Chicago Press.

Lakoff, George, and Mark Johnson. (1980) *Metaphors We Live By.* Chicago: The University of Chicago Press.

Lakoff, George, and Mark Johnson. (1999) *Philosophy in the Flesh: The Embodied Mind and its Challenge to Western Thought.* New York: Basic Books.

安原和也 (2004)「「なぞなぞ」の認知言語学—現代日本語の「二段なぞ」作成の謎に迫る—」修士論文、京都大学大学院人間・環境学研究科 .

Yasuhara, Kazuya. (2012) *Conceptual Blending and Anaphoric Phenomena: A Cognitive Semantics Approach.* Tokyo: Kaitakusha.

安原和也 (2020)『認知言語学の諸相』東京：英宝社 .

安原和也 (2021)『認知言語学の散歩道』東京：英宝社 .

著者紹介

安原和也（やすはら・かずや）　　名城大学准教授

1979 年、岡山県生まれ。京都大学大学院人間・環境学研究科博士後期課程（言語科学講座）修了。博士（人間・環境学）。日本学術振興会特別研究員、京都大学高等教育研究開発推進機構特定外国語担当講師などを経て、2013 年 4 月より現職。専門は、認知言語学。主要著書に、『認知文法論序説』（共訳、2011 年、研究社）、『Conceptual Blending and Anaphoric Phenomena: A Cognitive Semantics Approach』（2012 年、開拓社、第 47 回市河賞受賞）、『ことばの認知プロセス ― 教養としての認知言語学入門 ―』（2017 年、三修社）、『認知言語学の諸相』（2020 年、英宝社）、『認知言語学の散歩道』（2021 年、英宝社）、『認知言語学の基礎』（共著、2021 年、くろしお出版）、『小説風「認知言語学入門」』（2022 年、大学教育出版）などがある。

認知言語学逍遥
（しょうよう）

2022 年 4 月 25 日　　初版発行

著　者　ⓒ　安原 和也

発行者　　佐々木 元

発行所　　株式会社 英 宝 社

〒 101-0032　東京都千代田区岩本町 2-7-7
TEL［03］（5833）5870　　FAX［03］（5833）5872

ISBN　978-4-269-77062-1　C1082
［製版・印刷・製本：日本ハイコム株式会社］